営業が苦手な中小企業必見！

展示会を活用して新規顧客を獲得する方法

展示会活用アドバイザ
大島 節子 著

笑がお書房

まえがき

はじめまして。展示会活用（展活）アドバイザーの大島節子と申します。2013年から中小企業向け展示会セミナー講師・コンサルタントとして活動をしてまいりました。2023年12月時点で8,500人以上の方の展示会出展を指導してまいりました。

この本を書いているのは2023年の12月です。長かったコロナ禍が明け、今年は展示会にたくさんの人が戻ってきました。中小企業の販路開拓の手段として、とくに営業が苦手な中小企業にとって展示会は最適な場所です。なぜなら待っていればお客さまの方から来てくれるからです。

では展示会を販路開拓の手段として活用していくとして、どのような課題が考えられるでしょうか？

・はじめての展示会出展で何をどう準備すれば効果が出るのかわからない。
・出展経験はあるが今の展示会活用法に満足していない。もっと良くしたい。
・これまでも展示会で成果を出してきたが、マンネリ化を感じる。打破したい。

こんな感じでしょうか？　そんな課題をお持ちの方にとってこの本をお読みいただくことで、きっとすぐに活用いただける再現性の高いノウハウとテクニックを得ていただけることと思います。この本がこのような課題を持つ方のお役に立つ本になるよう、お伝えをしてまいります。営業が苦手な中小企業でも展示会を活用すれば販路開拓は可能です。一緒にはじめてまいりましょう！

大島節子

もくじ

第６章　忘れられる前にコンタクト

第７章　本当の目的を果たすために

★本書の掲載写真は、著者ホームページ内でカラー写真で確認できます。
またコンセプトワークシート内容も同様に確認できます。
https://www.tenkatsu.net/dl/

序章

なぜ今、展示会なのか？
～8,500人超の出展指導を通してわかったこと～

出展する５つの効果

最初に私がこの本で取り上げる「展示会」の定義を確認させてください。「展示会」という言葉は業界によって少々使われ方のニュアンスが変わります。この本では所謂、東京ビッグサイトとか幕張メッセなどの展示会会場にブース出展をするタイプの展示会を指す言葉として「展示会」を使用します。

アパレル業界でよくあるバイヤーを招待し新作を並べるタイプの「自主開催」展示会や、物産展などの展示即売会、アート作品や工芸品、ハンドメイド作品を見てもらう展覧会は含みませんので、あらかじめご了承ください。

言葉の定義を理解いただいた上で、「展示会」とは何でしょうか？

私が思う展示会とは「見込み客との出会いの場」です。なので自社の製品・技術・サービスの価値・強みが見込み客に伝わらなければ展示会は失敗です。展示会成功の定義は見込み客に自社の価値・強みが伝わり、その出会いを成約に繋げることです。

しかしながら、展示会から得られる効果は成約だけではありません。例えば展示会に出展することで、次のような効果を得ることができます。

①マーケティングの価値

展示会は出会いの宝庫です。来場者と会話を交わす中で自社の製品・技術・サービスが持つあらたな可能性が見つかることがよくあります。今まで縁のなかった業界からの需要、これまでとは違う用途での使用、地元以外の遠方にもマーケットがあること、そういった気づきが得られます。調査会社に依頼して300人からアンケートを集めようと思うと、いくらくらいの費用がかかるかわかりますか？　調べてみたところ100万円はかかるそうです。もし展示会でお客さまの声を300人分集めることができたら、それだけのマーケティング価値があるといえます。

②研修以上の経験

展示会は数ヵ月かけて準備し、当日は普段と違う環境でお客さまと直接やりとりを交わし、終了後はフォローをします。そういった数ヵ月〜半年間の一連の流れを社員に経験していただくことで、下手な研修を受けさせるよりもよっぽど社員が成長する、とよく聞きます。営業研修を受講するためにかかる費用はピンキリですが、30万円として、その研修よりも社員が成長したとしたら、それだけの価値があったといえます。

③採用につなげる

全てではありませんが、特にローカル展示会の中には積極的に地域の高校生や高専生、就職活動中の大学生を招致してくれるものがあります。展示会ブースで社長と直接、話したり、年の近い若い社員と話して意気投合し、卒業後はその会社に入社するという事例も複数出ています。今、採用は本当に大変だと聞きます。新卒一人を採用するためにかかる費用は200万円とも言われています。展示会の出展が採用につながったら、それだけの価値があるといえます。

④協力会社の開拓

展示会に出展すると出展者同士や来場者との出会いの中で、仕入れ先、加工委託先など、協力会社が見つかることもよくあります。

⑤メディアの採用

どの展示会にもテレビや新聞等のメディアが取材に訪れるので、取材陣の目にとまればメディア露出のきっかけになります。もし地元テレビ局の目にとまり、夕方のニュースで３分間放送されたとして、それを広告費に換算したとすると、ローカル局だとして300～600万円分の広告換算価値があります。全国ネットだと、その5倍くらいです。広告費に予算を割く余裕がない中小企業だからこそ、こういったメディア露出の機会を大切にしたいものです。

展示会の成功と失敗を決める2つの力

展示会を成功させるために必要な力とは商品力と伝達力です。商品力とは品質や時代性、価格など、どれだけ良い商品かということ。伝達力とは集客力、チラシ・ブース・展示品を作る力、接客、アフターフォローなど全て含めて伝達力です。

例えば商品力が90点で伝達力が20点の企業があったとします。一方に商品力が60点で伝達力が90点の企業があったとします。その場合、展示会で成果を出すのは後者の企業になります。

展示会の成功と失敗を決めるのは商品力と伝達力の総合点です。残念ながら私には皆さんが扱われる製品・技術・サービスの商品力を上げることはできません。しかし伝達力を上げる方法をお伝えすることができます。この本でお伝えする展示会で活用すべきノウハウやテクニックは伝達力を上げていただくためのものです。

伝達力が高いブースと低いブースの違い

伝達力が高い展示会ブースと低い展示会ブースの違いは、見込み客の目にとまるかどうかです。どうすれば見込み客は目にとめてくれるのでしょうか？

・派手な色を使う
・照明をたくさん設置し、とにかく明るく照らす
・女性コンパニオンを雇い短いスカートをはかせる

・大きな声で積極的に声かけをしまくる
・貰ってうれしいノベルティを無料で配る

どれも不正解ではないのですが、上記のやり方では自社が求めていないお客さんの接客も大量にやらなければならなくなります。少なくない費用と時間をかけて展示会出展をして、自社の出展する製品・技術・サービスと関係のないお客さんに時間を取られたいですか？　そうではなくて自社が求める見込み客に確実に立ち止まってもらうには何をすればよいのでしょうか？　それは伝達力が高いブースを作ることです。

伝達力が高いブースとは、見込み客が「自分に関係がある」と気づくブースです。人は自分に関係があることにしか興味を持ちません。では来場者が「自分に関係がある」と気づくブースとは？　答えは「問題解決型」ブース、すなわち「誰のどんな困りごとが解決できるのか」が、パっと見てわかるブースです。

展示会を伝達力でレベル分けをすると、３つのレベルに分けることができます。

☆レベルＣ

一番伝達力が低いレベルＣは、イメージブース。ロゴだけのスタイリッシュなブースです。大企業はこのようなブースを作るところが多いです。それは大企業だからできることです。「TOYOTA」というロゴがあれば、トヨタが何屋なのかは皆が知っているからです。

大企業のロゴだけのイメージブースは見た目がかっこいいので、つい真似をしたくなります。しかし中小企業がこれをしてしまっては何屋かすら伝わりません。最低限、何屋なのかがわかるブースにする必要があります。

☆レベル B

次に真ん中のレベル B は、できることを並べているだけのブースです。ほとんどの展示会ではレベル B のブースが 80 ～ 90％以上を占めます。できることを並べるだけのブースでも、たまたま見込み客に見つかれば成約することはあります。ただこれは伝達力が高いブースとは言えません。

☆レベル A

最後に一番伝達力が高いレベル A は、「問題解決型」ブースです。問題解決型ブースとは「誰のどんなお困りごとが解決できるのか」が伝わるブースです。ほとんどの展示会で 10％あるかないかです。人は自分に関係があることにしか興味を持たないと先に書きました。逆に言うとまさに今、自分が困っていることが掲げられているブースには、目にとめざるを得ないのです。

この本の第 1 ～ 3 章では、この「問題解決型」展示会を作る方法をお伝えします。4 章以降では自社ブースに目をとめ、立ち止まってくださった見込み客を顧客化する方法についてお伝えします。特に 1 章は、私のセミナーやコンサルの現場で行うワークショップを言葉で説明しています。まずはざっと読んで流れを理解してからワークシートを印刷し、手順通りワークを進めていただくのが良いと思います。

第1章

誰に何を伝えればいいのか？

問題解決型展示会＝伝達力が高い展示会を作るために、まずやらなければならないこと、それは目的を明確にすることです。

B to B 型 展示会（信栄ゴム工業の事例）

最初に紹介する信栄ゴム工業㈱の事例は、工業系のものづくり企業のB to B 型展示会の出展コンセプトです。

B to B とはビジネス to ビジネス、やりとりをするお客さんは最終消費者＝カスタマーではなく、お客さまも自社が提供した製品・技術・サービスをビジネスに使用し、最終消費者＝カスタマーはその先にいる、というかたちです。

では、B to C 型展示会もあるのかといえば、序章で書いた定義ではB to C 展示会というものはありませんし、この本では扱いません。B to C 型は即売会や物産展です。

展示会は見込み客との出会いの場です。たとえ最終消費者＝カスタマー向けの商品を作っていたとしても、展示会で出会うのはバイヤーです。バイヤーと出会う限りその関係はB to B であり、バイヤーの先にカスタマーが居るので、この本ではこういったかたちの展示会をB to B to C 型と呼びます。

右ページの写真は岐阜県各務原市の信栄ゴム工業のブースです。『メッセナゴヤ 2023』に出展された際の問題解決型ブースです。こちらは初出展にも関わらず、出展後1ヵ月で複数の引き合いがあり、すでに受注に至った案件もあります。

信栄ゴム工業が出展前に何をしたのかというと、右ページのようなコンセプトワークシートを使って出展コンセプトを明確にされました。これは何ができるワークシートなのかというと、

・出展するものは何
・伝えたい人は誰
・その人は何に困っているか

★本書の掲載写真は著者ホームページ内で、カラー写真で確認できます。https://www.tenkatsu.net/dl/

信栄ゴム工業のブース（メッセナゴヤ 2023）

記入前のコンセプトワークシート

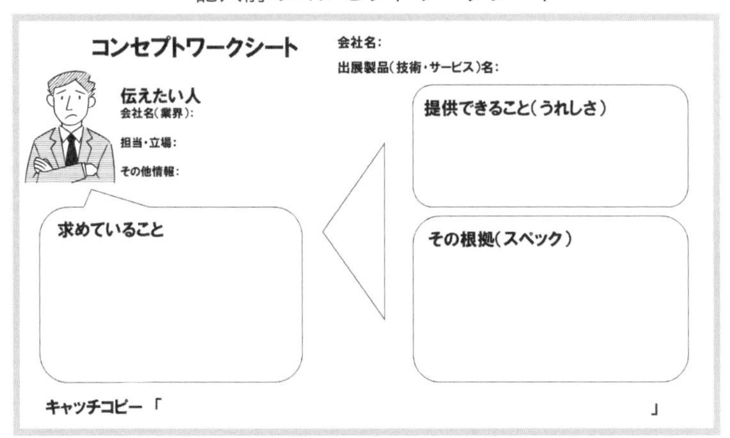

⬆ダウンロードできます。https://www.tenkatsu.net/dl/

・その人に対して何を提供できるのか
・その根拠は何なのか
・キャッチコピー

以上が展示会出展コンセプト作りに必要不可欠な要素で、シンプルに言語化され整理することが必要なものです。
特にしっかりと言語化していただきたいポイントは、次の３つです。

①伝えたいお客さまは誰だろう？

最初から、いきなりコンセプトシートに書き込むのではなく、7.5㎜角の付箋とペンを用意してください。できれば１人ではなく展示会チーム数人で行うことをおすすめします。（多すぎても収集がつかなくなります。２人〜５人くらいまでの中心メンバーで行うとよいでしょう）
付箋に伝えたいお客さん像を１枚に１要素書き出していきます。頭に「これまで仕事をした一番好きなお客さん」や、「まだ仕事をしてきたことはないけれど、こんな方と仕事ができれば最高だな、と思うお客さん」を思い浮かべます。

そして次にこのように問いかけます。
・業界は？（例：自動車、工作機械、繊維、建築　など）
・部署は？（例：開発、研究、購買、生産管理　など）
・立場は？　（例：工場長、経営者　など）
・具体的な会社名は？

それらをまずはたくさん出してください。そして付箋１枚に１要素を書き出し、ホワイトボードか、なければその辺に貼り付けていきます。20〜30分集中して考え数多く出し、もうこれ以上出ないと思ったら、何かしら分類の軸を見つけて分けてみてください。

②お客さまは何に困っている？

次に、お客さんが困っていることや求めていることも、付箋1枚に1要素を書き出していきます。おそらく伝えたい人の要素を出していく中で、同時にその人が困っていることや求めていることも出てくると思います。

（例）
・１個だけ作ってほしい
・難削材を削ってくれるところがなくて困っている
・品質にバラつきがあると困る
・今の材料だとすぐにダメになってしまう。材料から提案してほしい
・現在、付き合いのある先は加工に１ヵ月もかかる。そんなに待てない

伝えたいお客さんが困っていることや求めていることも、まずは数を出してください。そして伝えたい人の付箋とは違う場所に貼り付けてください。ポイントは「お客様の話し言葉で書くこと」です。
・良い例：機械を置くスペースが１㎡しかないんだけど…
・悪い例：小型化

書いていることは同じなのですが、単語や熟語ではなく話し言葉で書くことで、後にチラシ、ブースを作っていく過程でキャッチコピーやボディコピーを考える必要が出てきます。キャッチコピーの種はこの部分から引き出します。単語や熟語よりも話し言葉のほうが、コピーに展開し

コンセプト明確化ワークの様子

ていきやすいのです。こちらも数が出尽くしたら分類の軸を見つけて分けてみてください。

分類が終わったら、伝えたい人とその人が困っていることや求めていることのしっくりくる組み合わせを見つけてください。

③困りごとをどう解決できる？

次は、いよいよワークシートの登場です。既に出した「伝えたい人」と、「その人が困っていること・求めていること」の組み合わせを記入前のコンセプトワークシート（17ページ参照）に記入し、それに対して提供できることと、その根拠に関しても直接書き込んでください

先に紹介した信栄ゴム工業のワークシートは３つになりました。ワークシートは「伝えたい人」と、「その人が困っていること・求めていること」の組み合わせの数だけ作ってください。３つが一番、収まりがいいので、ここでは３つのワークシートを紹介していますが、１つか２つでも構いませんし、５つ以上でも構いません。

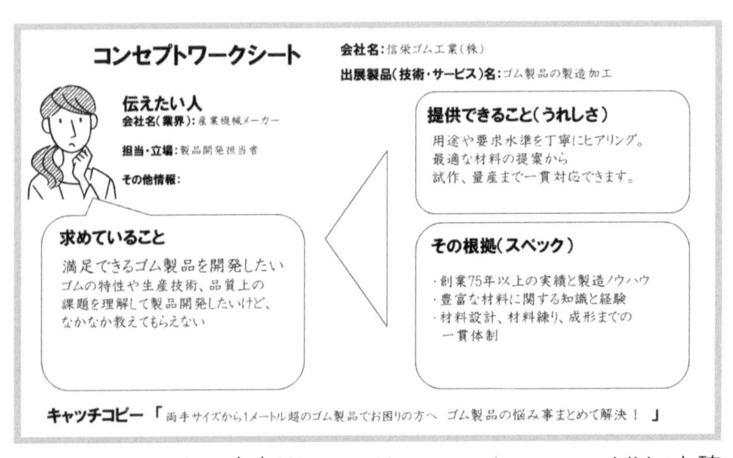

コンセプトワークシート

会社名：信栄ゴム工業(株)
出展製品(技術・サービス)名：ゴム製品の製造加工

伝えたい人
会社名(業界)：産業機械メーカー
担当・立場：製品開発担当者
その他情報：

求めていること
満足できるゴム製品を開発したい
ゴムの特性や生産技術、品質上の課題を理解して製品開発したいけど、なかなか教えてもらえない

提供できること(うれしさ)
用途や要求水準を丁寧にヒアリング。
最適な材料の提案から
試作、量産まで一貫対応できます。

その根拠(スペック)
・創業75年以上の実績と製造ノウハウ
・豊富な材料に関する知識と経験
・材料設計、材料練り、成形までの一貫体制

キャッチコピー「両手サイズから1メートル超のゴム製品でお困りの方へ　ゴム製品の悩み事まとめて解決！」

⬆ワークシートの内容はhttps://www.tenkatsu.net/dl/でも確認できます。

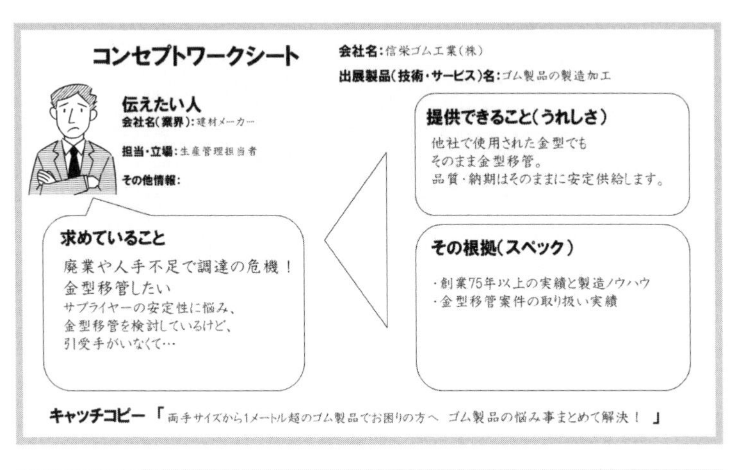

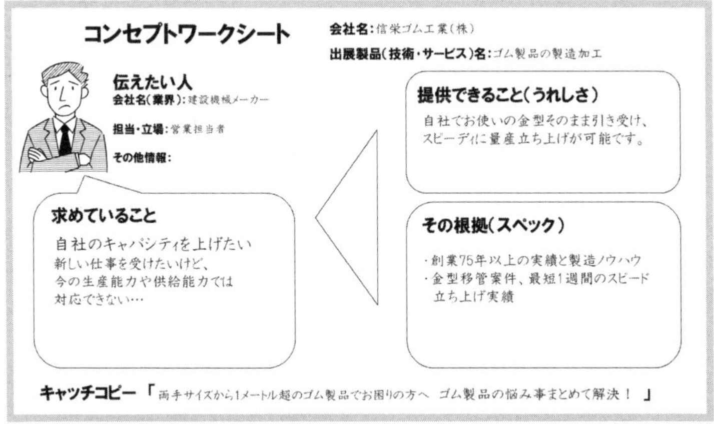

▲工業系ものづくり企業など、いわゆるＢ to Ｂ型展示会の出展コンセプト作成例です。

B to B to C型 展示会
（阿波食品＝問題解決型商品の事例）

（有）阿波食品の阿波食品は、徳島県阿波市にある食用鶏肉加工会社です。

阿波食品のブース（SPORTEC2023）

元々のお仕事は加工した鶏肉を給食や飲食店に卸すＢ to Ｂ型の事業ですが、常温保存可能のレトルト鶏ささみというＢ to Ｃ型の商品も自社開発され、スポーツと健康の展示会『SPORTEC 2023』に出展されました。この商品は身体づくり、特に筋トレに興味があり、既存のプロテインやサラダチキンに不安や不満のある人が対象者になります。

Ｂ to Ｂ to Ｃ型の展示会の場合、コンセプトの考え方は２パターンあります。まずは取り扱う商品に問題解決力がある場合です。その場合はカスタマーの問題解決を考えてください。そのやり方でそういった困りごとを顧客に持つバイヤーの目にとまることが可能だからです。

伝えたい人の人物像

・マラソンや登山、サイクリングなど筋トレが必要な趣味を持つ。
・ある程度生活に余裕がある層、30代以上。
・たんぱく質を日常的に摂取している、または摂取したいと思っている人。

その人が困っていること

・プロテインの味が苦手
・サラダチキンは添加物が心配

・筋トレ後すぐに食べたいので、常温保存できるものを持ち歩きたい

こういった人たちの困りごとに対して、阿波食品が提供できることと、その根拠を記したのが、次のような３つのB to B to C型（問題解決型商品の場合）の出展コンセプトです。

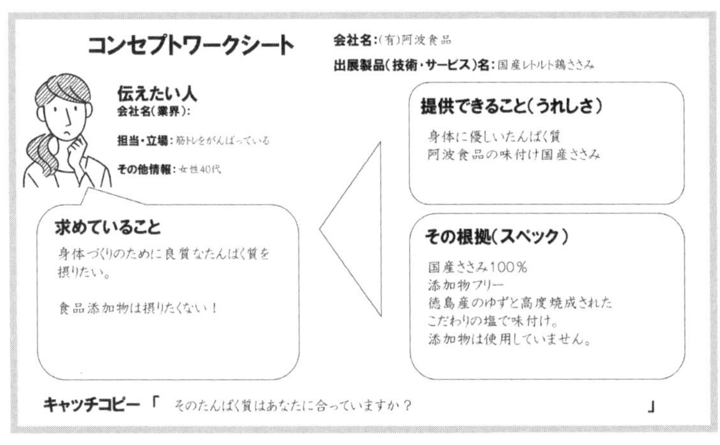

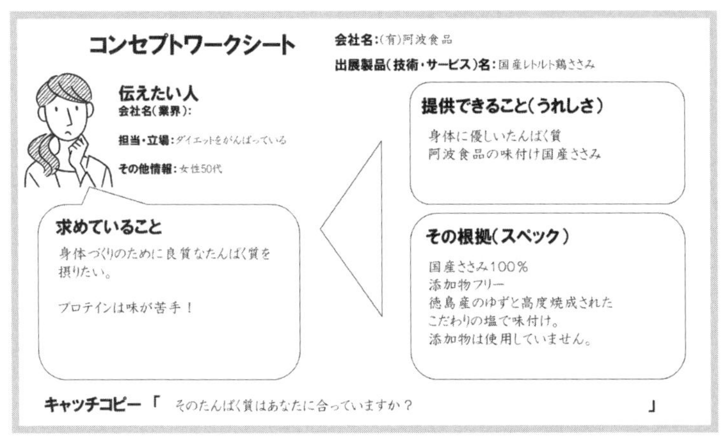

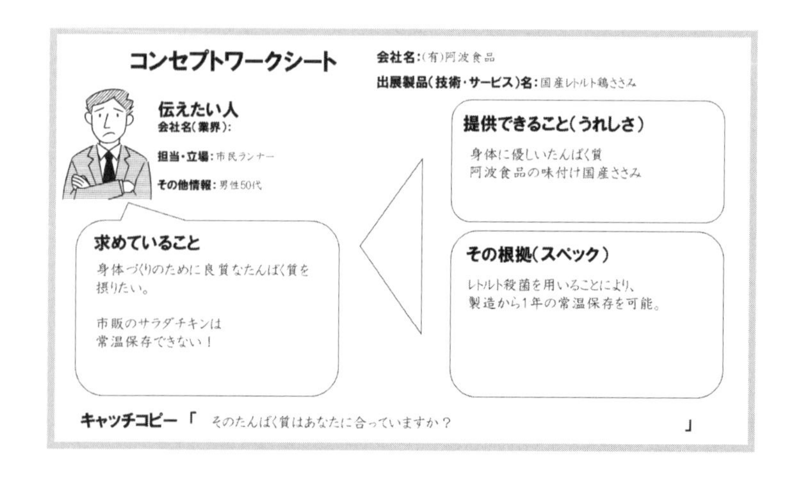

B to B to C 型 展示会
(大磯製麺所＝嗜好品の事例)

次に紹介するのは商品自体には問題解決力がない嗜好品の場合です。その場合カスタマーは問題解決のために、その商品を買うわけではないので、問題解決型展示会を作るためには、バイヤーの困りごとを考えます。

㈱大磯屋製麺所は、愛知県碧南市にある製麺所です。名物は独自の製法で製造された一度食べると忘れられない「熟成焼そば」。既にテレビ等で紹介され大人気商品ではあるのですが、展示会に出展し関東方面の飲食店に販路開拓をしたいとのことでした。

スーパーマーケットトレードショー内の『こだわり食品フェア2023』(幕張メッセ)、和麺産業展 2023（東京ビッグサイト）に出展をされたところ、こちらも複数の受注につながりました。

大磯屋製麺所のブース（こだわり食品フェア 2023）

美味しすぎてご麺なさい

名物の「熟成焼そば」を展示会で伝えたい人は、「関東地域の飲食店の仕入れ担当者」になります。

その人が困っていることや求めていること

・客単価をアップしたい

・看板メニューを作りたい

・他店との差別化を図りたい

となり、大磯屋の熟成焼そばを提供することで、それらの困りごとが解決できますよ！というメッセージを伝えることを目的としコンセプトをまとめていきます。キャッチコピーは「美味しすぎてご麺なさい！今の麺で満足していますか？」としました。

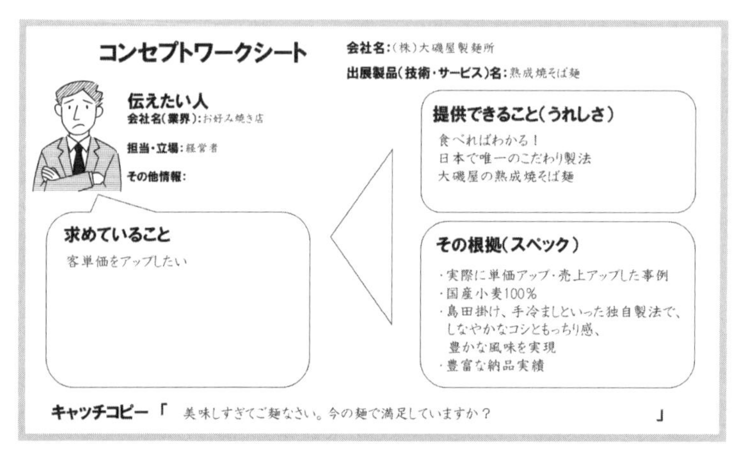

コンセプトワークシート

会社名：（株）大磯屋製麺所
出展製品（技術・サービス）名：熟成焼そば麺

伝えたい人
会社名（業界）：お好み焼き店
担当・立場：経営者
その他情報：

求めていること
客単価をアップしたい

提供できること（うれしさ）
食べればわかる！
日本で唯一のこだわり製法
大磯屋の熟成焼そば麺

その根拠（スペック）
・実際に単価アップ・売上アップした事例
・国産小麦100％
・島田掛け、手冷ましといった独自製法で、
しなやかなコシともっちり感、
豊かな風味を実現
・豊富な納品実績

キャッチコピー「美味しすぎてご麺なさい。今の麺で満足していますか？」

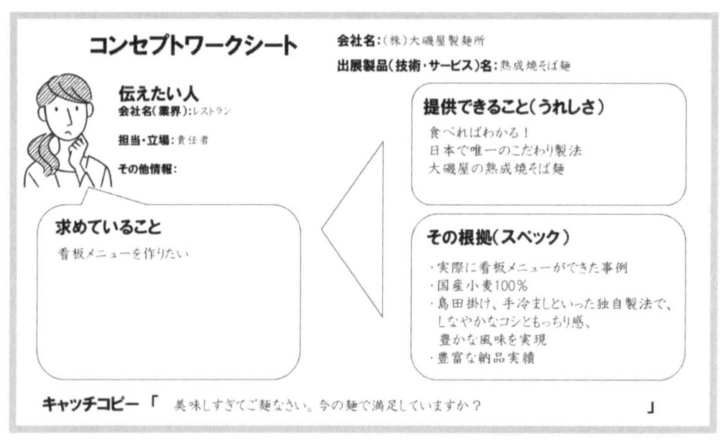

コンセプトワークシート

会社名：（株）大磯屋製麺所
出展製品（技術・サービス）名：熟成焼そば麺

伝えたい人
会社名（業界）：レストラン
担当・立場：責任者
その他情報：

求めていること
看板メニューを作りたい

提供できること（うれしさ）
食べればわかる！
日本で唯一のこだわり製法
大磯屋の熟成焼そば麺

その根拠（スペック）
・実際に看板メニューができた事例
・国産小麦100％
・島田掛け、手冷ましといった独自製法で、
しなやかなコシともっちり感、
豊かな風味を実現
・豊富な納品実績

キャッチコピー「美味しすぎてご麺なさい。今の麺で満足していますか？」

このようにストレートなB to B型、B to B to C型の場合は、商品自体に問題解決力がある場合とない場合、で多少対象者を誰にするかの違いはありますが、基本的にやることは同じです。

・伝えたい人は誰か
・その人は何に困っているのか
・その人に何を提供できるのか

この３つを丁寧に言語化し整理することで出展コンセプトを明確にすることができます。この工程こそが展示会を成功させるためのすべての土台になります。

強みから考えるのをやめてみよう

展示会という場はたくさんのブースが並び、同業他社と比較をされる場所です。なので、目立った強みがない企業さんは出展前に何をアピールすればよいやら、と頭を抱えられることがよくあります。しかし中小企業で目立った強みを持っているところのほうが珍しく、ほとんどの企業は他にも類似商品があったり、同じような加工技術がある状態で展示会に出されており、その中で成果を出すところと成果につながらないところに分かれます。

このように強みから考えはじめると煮詰まってしまうことが多いので、展活のやり方ではまず「誰に伝えたいのか」から考えます。これまで仕事をしてきた中で一番好きなお客さんや、まだ仕事をしたことはないけれど、こんなお客さんと仕事ができれば最高だな、という方を頭に浮かべながら、伝えたいお客さん像を明確にしていきます。

そして「その人が何を求めているのか」「どんなことに困っているのか」を考えます。ここではなるべくリアルな言葉をたくさん出すことが重要です。

最後に自分が理想とするお客さんが求めていることや困っていることに、自社の製品・技術・サービスは何を提供できるのかを組み合わせていき、しっくりくる組み合わせを見つけます。

ポイントは「伝えたい人」も「その人が求めていること・困っていること」も数を出すことです。誰もが狙いたいターゲットに誰でも提供できるソリューションを組み合わせていたのでは埋もれてしまいますが、数を出すことで自社ならではの組み合わせが見つかることがよくあります。そこが見つかればコンセプトが明確になり、他に埋もれない展示会を作っていけます。実際に出展してみて反応を見て微調整を繰り返しながら展示会をブラッシュアップしつづけることで、他にはない自社オリジナルの展示会ができていきます。

目立った強みはなくても、自社ならではの選ばれる理由が何か知らないと展示会では埋もれてしまいます。そこを見つけることが一番重要で、目立つための装飾テクニックや接客技術、フォロー営業などの小技はその次です。覚えておいてください。

第2章

失敗しない
展示会用チラシの作り方

展示会出展コンセプトが明確になったらチラシを作成します。チラシを作成することで、明確になったコンセプトが更に内面化されていきます。

最強！ 問題解決がシンプルに伝わる3分割チラシ

10年間、展示会専門の講師やコンサルタント経験を重ねてきたことで、既に展示会用チラシの鉄板フォーマットというものが見つかっています。もちろんこのフォーマットで作らなければいけない、ということではないのですが、このフォーマットを使っておけば間違いない、というものです。

チラシフォーマット

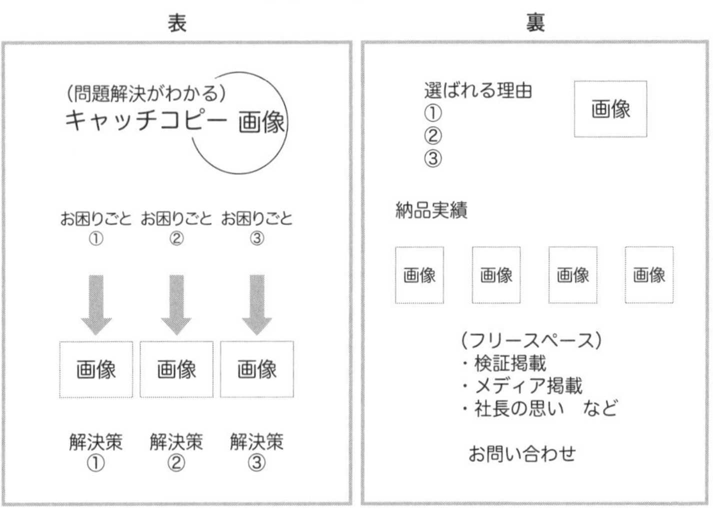

⬆ダウンロードできます。https://www.tenkatsu.net/dl/

このフォーマットに、明確になった出展コンセプトをはめ込んでいくのですが、ここでは、㈱昭和工業所を例にします。

コンセプトワークシート

会社名：（株）昭和工業所

出展製品（技術・サービス）名：各種プーリー・歯車の製造

伝えたい人

会社名（業界）：自動車メーカー

担当・立場：試作・開発担当者

その他情報：生産ラインを持つメーカー

求めていること

部品点数を減らして
製造にかかる労力を軽くしたい

提供できること（うれしさ）

一体型の軸付プーリーを製作することで、
取り付けの手間を減らすことが可能です。
製造にかかる労力も軽減されます。

その根拠（スペック）

・多品種・小ロットの製品を一貫生産可能
・充実の検査体制
・創業50年以上の経験と実績

キャッチコピー「試作・開発ご担当者さまへ　タイミングプーリ・歯車に関するお困りごとはありませんか？」

⬆ワークシートの内容はhttps://www.tenkatsu.net/dl/でも確認できます。

コンセプトワークシート

会社名：（株）昭和工業所

出展製品（技術・サービス）名：各種プーリー・歯車の製造

伝えたい人

会社名（業界）：自動車メーカー

担当・立場：試作・開発担当者

その他情報：生産ラインを持つメーカー

求めていること

部品点数を減らして
製造にかかる労力を軽くしたい

提供できること（うれしさ）

一体型の軸付プーリーを製作することで、
取り付けの手間を減らすことが可能です。
製造にかかる労力も軽減されます。

その根拠（スペック）

・多品種・小ロットの製品を一貫生産可能
・充実の検査体制
・創業50年以上の経験と実績

キャッチコピー「試作・開発ご担当者さまへ　タイミングプーリ・歯車に関するお困りごとはありませんか？」

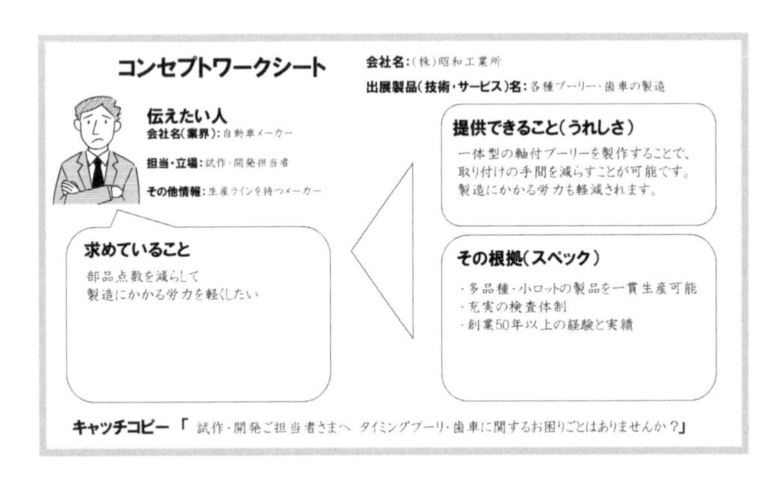

岡山県井原市の㈱昭和工業所は、生産ラインの根幹を担うタイミングプーリや歯車の製造メーカーです。

『テクニカルショウヨコハマ2024』に出展するにあたって、チラシを作ることになりました。まずはコンセプトの明確化ワークを経て作成したコンセプトは、次の３点のシートです。

このコンセプトを元に、チラシ原稿を作成していきます。私はPower Pointを使用しますが、wordでも同じようなことはできますし、最近はcanvaを使う方もいらっしゃいますね。

チラシ原稿はこんな感じで作ってください。(右ページ)

右ページ上のチラシは、デザイナーに依頼する前に自社で作成した最終的なチラシです。変にかっこよくしたりはせず、まずはチラシの原稿として必要な要素（選ばれる理由、製造実績など）を書き入れてください。

言語化が苦手な方は、この書き入れの作業で苦戦されますが、ここは自分たちでがんばらなければならない部分です。チラシフォーマットを埋めるかたちで原稿を作成してください。このレベルまで

規格外の商品を
1個から
オーダーメイドで
作ってほしい

ロボットメーカー
開発担当者さま

部品点数を
減らして
製造にかかる
労力を軽くしたい

自動車メーカー
試作担当者さま

高精度で
高耐久の
プーリーがほしい

食品製造機械メーカー
設計担当者さま

どんな図面にも
対応いたします。
完全な図面でなくても
CAD図面作成から
サポートし、
製品化を実現します。

一体型の軸付プーリー
を製作することで、
取り付けの手間を
減らすことが可能です。
製造にかかる労力も
軽減されます。

三次元測定機などを使って、
入念な検査体制を
とっております。
昭和工業所のプーリーは
耐久性が高いと、
高評価を得ております。

生産ラインの根幹を担うタイミングプーリ専門メーカー
株式会社昭和工業所　＞＞裏面につづく

昭和工業所が選ばれる理由

1．多品種・小ロットの製品を一貫生産

小さな町工場のため一つからの注文が可能。
全工程を自社で加工しており、アルミや
ステンレス、樹脂の加工にも対応いたします。

2．充実の検査体制

中間検査と最終検査を経て出荷しています。
精密な検査設備も導入しているため、
細かい計測も可能です。

3．岡山大学と共同開発

岡山大学と共同でブッシングプーリを開発
しています。オーダーメイドで自由の利く
昭和工業所ならではの新しい挑戦です。

製造実績

軸とプーリをノンバックラッシ締結するため、抜け止め不要。位置決め、位相合わせが簡単に。また少ないボルト本数で取り外しが容易。更にプーリの追加工が不要で、軸穴加工図面も不要。フラット取り付けにより軽量、省スペースが可能になります。

ボスをカットし、狭い場所でも取り付け可能な形状を実現。取り付けは難しい部分でも、簡単に取り付けが可能になります。今まで取り付けをあきらめていた場所も一度ご相談ください。ご提案いたします。

シャフト一体型なので部品点数が少なくて済むプーリ。余分な部品を購入する手間が省けます。

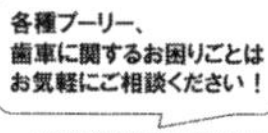

生産ラインの根幹を担うタイミングプーリ専門メーカー
株式会社昭和工業所
〒715-0003　岡山県井原市江原町3039
TEL (0866)63-0330 FAX(0866)63-0730
HP https//www.showapulley.co.jp

昭和工業所のチラシ原稿

昭和工業所の完成チラシ

原稿を作ったうえで、デザイナーにデザインを依頼すると、下のようなチラシが出来上がります。
もちろんデザイナーの腕による仕上がりの差はあります。

自社でデザインまで手掛けるのが一番安上がりですが、やはりデザインの力は大きいです。デザインはかっこよくするためにあるだけではなく、伝えたいことをより伝わりやすくするためにあります。

キャッチコピーとスローガンの違い

チラシ作りで一番大切で、一番難しいのがキャッチコピーです。
王道は課題をかかえている人への問いかけ型です。
例：トイレットペーパーの過剰利用でお困りではありませんか？
例：鉄筋の錆、雷害対策設計でお悩みではありませんか？
この形は一番シンプルで確実に伝えたい人に、課題解決を伝えることが可能です。色々考えすぎて迷ったらまずはこの型でやってみると良いでしょう。

感嘆型も人気です。
例：えっ？！　お米のパン？
例：それも封筒でできるの？！
この例は、多少サブキャッチやボディキャッチで補足する必要はありますが、お客さんの目にとまるという、キャッチコピーの仕事を確実に果たしてくれます。
危機感型も問題解決型展示会と相性が良いです。
例：バイオマス燃料倉庫の火災予防対策は万全ですか？
自分が今、心に抱えている心配事を掲げられると、対象者は目にとめざるをえません。

ダジャレ型が上手くハマるとかなり気持ちよいです。

例：海苔変えしませんか？

こちらは海苔メーカーが総菜メニュー開発者を対象として作成されたキャッチコピー。思わず「上手い！」と膝を打ってしまいます。

数字を使うのもいいですね。

例：手袋で労災事故０（ゼロ）への挑戦

例：ゴム製品の試作を１個から！

例：そのハーネス試電が３営業日で解決いたします！

反対に中小企業として良くない例。

それはすでにある会社や商品のスローガンを、キャッチコピーとして流用してしまうことです。

例：未来を創る

例：挑戦を続ける

例：次世代ソリューション

中小企業にとってもスローガンを掲げることは決して悪いことではありません。私は企業訪問をする機会も多いですが、きちんと社員全員で理念を作り、スローガンを掲げ、その下で経営を行っておられる企業は会社の雰囲気も良いです。ただ、スローガンというものは展示会用のキャッチコピーではないのです。私のセミナーでキャッチコピーについて説明するときは「キャッチコピーに絶対的な正解はありません。ただ不正解はあります。伝えたいお客さんの目にとまらなかったら不正解です」という言い方をします。

展示会は情報の洪水のような場所です。そんな場所で伝えたいお客さんの目にとめること、それが展示会でのキャッチコピーの役割です。人は自分に関係があることにしか興味を持ちません。展示会で「未来を創る」という言葉を見たとして「あ、自分に関係があることだ！」と思いますか？　展示会で新規の見込み客と出会いたいと思うのであれば、この人間の特性をわかっておく必要があります。

それではどうすれば見込み客が「自分に関係があることだ！」と気付き、目にとまるキャッチコピーが作れるのでしょうか。それはお客さんの困りごとや悩みを言語化し、それを盛り込んだ言葉をキャッチコピーにすることです。

これは絶対的な正解がない世界なので、本気でハマると気が遠くなるほど手間がかかる作業なのです。なので皆さん時間がなくなってくると、既にあるスローガンをキャッチコピーとして使ってしまうのですね。

繰り返しますがスローガンとは、組織の方向性を示し経営を円滑に行うためにあります。

一方、展示会用のキャッチコピーは、見込み客の目にとめるためにあります。それぞれが持つ役割が違う、ということがおわかりいただけたでしょうか。スローガンをそのまま展示会用のキャッチコピーとして流用されているのであれば、ぜひ次回からは展示会用のキャッチコピーを作ってください。

まとめてしまいたい、という心理

例えば、自分が今大学生だとして、進路のことで悩んでいて、信頼できる年上の知り合いに「進路のことで悩んでいるんですよね」と抽象的に言っても「そうなん？　大変やな」で終わってしまいますよね。

でも「将来は家を継ぐことになると思うので、修行の意味もあって今は銀行への就職を考えているんです」と具体的に言えば、「それだったら銀行で何年か働いた後、家業を継いですごく業績を伸ばしている友人がいるから紹介しようか？」と、うまく行けば求めている答えがもらえますよね。もちろん相談相手次第ですが。

これと同じことが、展示会でもすごく起こっている気がするのです。漠然と「仕事ほしいんですよね」と言っても、「みんなそうやで」となるわけで。「うちの技術をこんな会社のこんな人に使ってほしい」と具体的に言ってはじめて、「あ、それだったら…」と具体的な話になっていくと思うのです。

皆さん、頭の中には「こんな会社とこんな仕事ができたらいいなぁ」という思いをお持ちだと思います。でもそれを具体的に１つずつ伝えるのは大変だし、面倒くさいし、中には恥ずかしいという思いもあったりするのでしょうか。まとめてしまうのです。「○○ならおまかせ」「なんでもできます」的な表現に。気持ちはわかります。でも、そこで安易にまとめてしまわず、丁寧に「誰に何を伝えたいのか」を具体的に言葉にしていって、はじめて伝えたい人に伝えたいことが伝わります。

展示会で「○○ならおまかせ」とか「なんでもできます」というのは、何もできないと言っているのと同じです。伝えたい人が思わず目にとめざるをえないような言葉を探す気持をあきらめないでください。

問題解決型キャッチコピーのよくある間違い

自分で試行錯誤しながらキャッチコピーを作るときに、よくある間違いがあります。いや、別に間違いではないのかもしれません。惜しい！といえばよいのでしょうか。

例えばこんな感じです。

売りたいもの：集塵機
伝えたいお客さん：粉塵が出る工場の設備担当者
キャッチコピー：「集塵機の問題解決！」

惜しい！　けれど決定的に違う！　お客さんが解決したいのはそこではないのです。お客さんは集塵機の問題を解決したいのではなく、粉塵の問題を解決したいのです。正解は「粉塵のお悩みを解決！」です。

似たような例は他にもいろいろとあります。あなたが売りたいものが砥石としましょう。「砥石の問題解決」は間違い。正解はその砥石が何のために使われるかによりますが、「研磨の問題を解決」または「切れ味のお悩みを解決」です。お客さんは砥石がほしいのではなく、磨きたい何かがある、または刃物の切れ味で困っているのです。

この違いは一見、些細な差異に見えるのですが、実はお客さんに伝わるか伝わらないかという点において大事なことなのです。自分が売っているものが「集塵機」ととらえるか「粉塵のお悩みを解決してさしあげること」ととらえるかで、説明は変わります。説明が変われば伝達力はまったく変わります。

どちらがお客さんに伝わるかというと、もちろん「粉塵のお悩みを解決してさしあげること」ととらえている人の説明です。お客さんは集塵機がほしいのではなくて、粉塵の問題を解決したいのです。問題解決型キャッチコピーができたとき、このポイントを外していないか今一度チェックしてみていただければと思います。

B to B to C 型の展示会チラシ　その1
（EYELiD の事例）

B to B to C 型の展示会の場合は、先に紹介した鉄板フォーマットよりも次ページのチラシフォーマットのほうがしっくりくる場合が多いです。

徳島県阿波市の㈱EYELiD は、小麦粉を摂ることができない方のために、米粉でもなく、お米そのものを発酵させて作る「そのまんまお米パン®」を開発されました。

『グルメ＆ダイニングスタイルショー 2023』に出展するにあたって、まずはコンセプトを右ページのようにまとめられました。

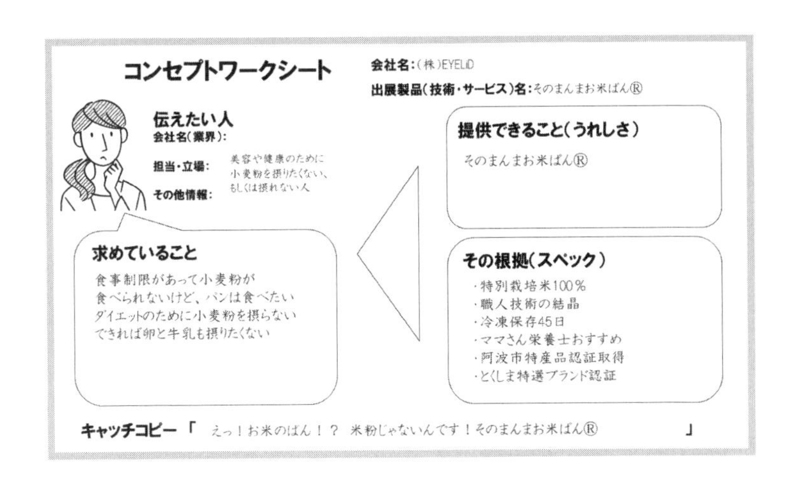

チラシフォーマット

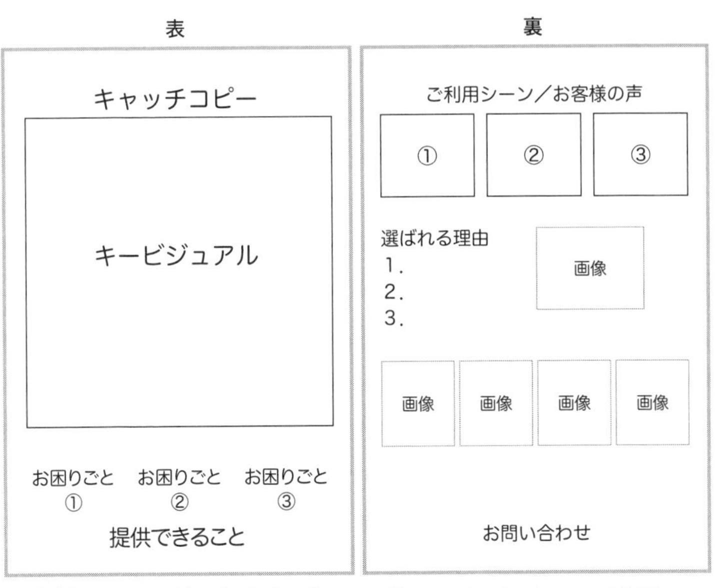

⬆ダウンロードできます。https://www.tenkatsu.net/dl/

EYELiD のチラシ原稿

このコンセプトを基にチラシフォーマットの構成を若干アレンジし、作成されたチラシ原稿が上のチラシです。

そしてその原稿を、デザイナーにデザインしていただいたのが右ページ完成チラシです。

このチラシは、感嘆型キャッチコピー「えっ！　お米のぱん!?」に、いくつかの吹き出しが配置されたチラシのレイアウトになっています。

- 困りごとが３つ以上
- 提供できることは１つ
- メインビジュアルを大きく見せたい

EYELiD のチラシ完成

そんな場合に効果を発揮するレイアウトです。

B to B to C 型の展示会チラシ　その2
（三和金型製作所の事例）

次は、B to B to C 型のチラシのもう１つの事例です。

和歌山県和歌山市の㈲三和金型製作所は、元々は金属切削による小ロット、単品部品加工を得意とされる町工場ですが、2023 年に自社ブランド「らんぷ」を立ち上げ、その第１弾商品として「幸せのペーパーウエイト -Bun-chin-」を作られました。

そしてそのお披露目の場として『大阪ギフトショー 2023』に出展をされました。

その際に、コンセプト明確化ワークを経てできたコンセプトがこちらです。

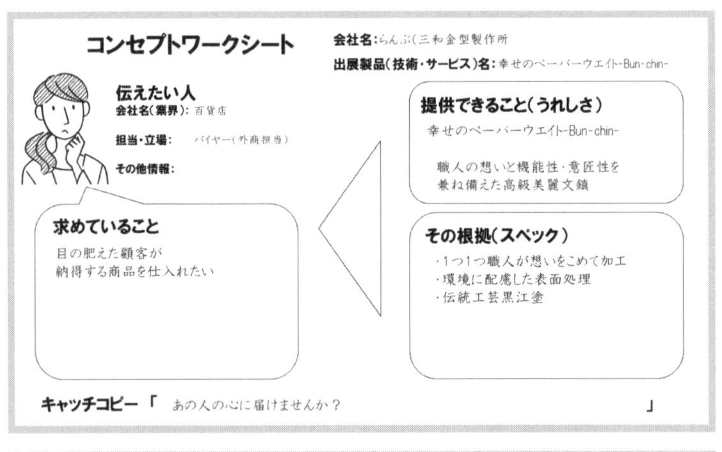

コンセプトワークシート

会社名: らんぷ(三和金型製作所

出展製品(技術・サービス)名: 幸せのペーパーウエイト-Bun-chin-

伝えたい人

会社名(業界): 百貨店

担当・立場: バイヤー(外商担当)

その他情報:

求めていること

目の肥えた顧客が
納得する商品を仕入れたい

提供できること(うれしさ)

幸せのペーパーウエイト-Bun-chin-

職人の想いと機能性・意匠性を
兼ね備えた高級美麗文鎮

その根拠(スペック)

・1つ1つ職人が想いをこめて加工
・環境に配慮した表面処理
・伝統工芸黒江塗

キャッチコピー「あの人の心に届けませんか?」

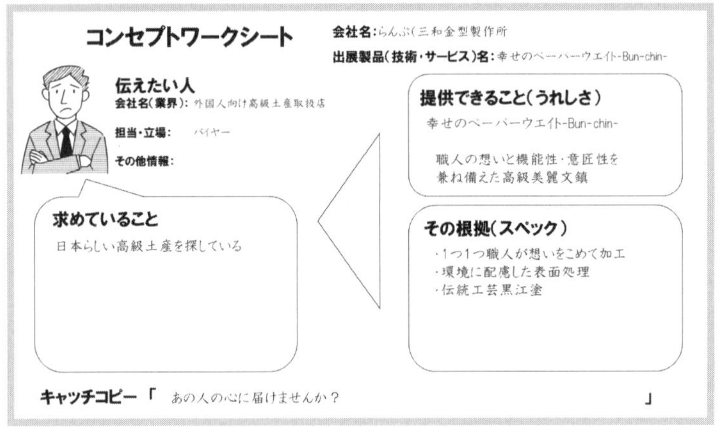

コンセプトワークシート

会社名: らんぷ(三和金型製作所

出展製品(技術・サービス)名: 幸せのペーパーウエイト-Bun-chin-

伝えたい人

会社名(業界): 外国人向け高級土産取扱店

担当・立場: バイヤー

その他情報:

求めていること

日本らしい高級土産を探している

提供できること(うれしさ)

幸せのペーパーウエイト-Bun-chin-

職人の想いと機能性・意匠性を
兼ね備えた高級美麗文鎮

その根拠(スペック)

・1つ1つ職人が想いをこめて加工
・環境に配慮した表面処理
・伝統工芸黒江塗

キャッチコピー「あの人の心に届けませんか?」

このコンセプトを基に作成したチラシ原稿が右ページ上。この時点では商品撮影がまだだったので、写真の準備とデザインを並行して進めていきました。

そして、デザイナーにより完成したチラシが右ページ下です。

あの人の心に届けませんか？

和の技術　　差がつく逸品　　今までにない高級品

職人の想いと機能性・意匠性を
兼ね備えた高級美麗文鎮
地場産業×伝統工芸の融合

らんぷ（運営：有限会社三和金型製作所）　詳しくは裏面へ ▸

このようなシーンでお使いただけます

海外の 日本好き方の 部屋写真	目が肥えた お客さんの和室 写真	贈りもの イメージ 木箱の写真

海外の方への贈り物に
見た目も美しく機能性も高い
日本の技術に驚かれます。
書斎等で長く愛用いただけます。

自分へのご褒美に
自宅の様々なシーンで
使用していただけます。
遊びに来られたお友達も
驚かれることでしょう。

百貨店の外商商品として
お客様にオススメする
今までにない高級贈答品を
探しておられるバイヤーさまに
手に取っていただきたい逸品です。

温故知新　技術の融合　-古き良き歴史あるものたちが生み出す新しい試みです-

1つ1つ職人が想いをこめて加工
ただのペーパーウエイトだけでなく、
ペン立てやカード立てはもちろん、
印鑑を立てたりメモを貼ったりと
様々な機能が集約されています。
職人たちの想いと技術がつまった
一生モノのペーパーウエイトです。

経年変化も楽しめる
防錆処理
環境に優しい表面処理をおこない
鉄の弱点でもある錆を発生しにくくしました。
独特の風合いはご使用いただいていると
少しづつ変化していきます。

鉄×塗り　技の融合
和歌山県の伝統的な工芸技術「黒江塗り」と
地場産業「金属加工」の技術を掛け合わせ、
今までにない金属の意匠性が誕生しました。
新しい特殊コーティング技術により、
金属表面への塗りに成功しました。

らんぷとは？

有限会社三和金型製作所の自社ブランド。1971年創業、1981年設立。
金型製造だけでなく、工業・産業用機械部品の製造もおこなう。
これまで培った技術を生かした一生モノの新しい商品を作りたい。そして使う人の笑顔が見たい。
創業50周年を迎えた老舗金型屋がたくさんの想いを込めた、新ブランド「らんぷ」が誕生しました！

らんぷにこめた3つの想い　：　かたまり（Lump）・あかり（Lamp）・魔法のランプ
私たちは金属の塊を削り出して加工します。「使ってくれた人たちの何か役に立つ、
あかりのようなほっとするものが作りたい。」「たくさんの方に使ってもらうことによって職人たちの
【希望の灯】にしたい。」「あなたの欲しいを形にします。」をコンセプトにしています。

・新聞掲載
毎日新聞和歌山版、わかやま新報
・受賞履歴
令和4年度和歌山市チャレンジ新商品認定
令和4年度和歌山県一社一元気技術登録

らんぷ　（運営：有限会社三和金型製作所）
〒641-0006 和歌山県和歌山市中島552-3
TEL：073-471-2220　FAX：073-471-9821
E-mail：sanwakanagata@coda.ocn.ne.jp
HP：

らんぷ（三和金型製作所）のチラシ原稿

このようなシーンでお使いただけます

海外の方への贈り物に

自分へのご褒美に

百貨店の外商商品として

温故知新 技術の融合　古き良き歴史あるものたちが生み出す新しい試みです

こだわりの金属加工

環境に配慮した表面処理

伝統工芸黒江塗

1つ1つ職人が想いをこめて加工

経年変化も楽しめる防錆処理

鉄×塗り 技の融合

らんぷとは？

らんぷ

鉄の塊（LUMP）から希望の灯（LAMP）を削り出す

らんぷ

運営：有限会社 三和金型製作所

TEL 073-471-2220　FAX 073-471-9821

らんぷ（三和金型製作所）のチラシ完成

1章でも述べたようにB to B to C型の展示会では、

・商品に問題解決力がある場合→消費者の困りごとを前面に出す

・嗜好品の場合 → バイヤーが求めていることを前面に出す

このような考え方でコンセプトをまとめ、チラシに展開していくと伝達力の高いチラシが完成します。

before と after 目にとまるのはどっち？

伝えたいことを、伝えたい人に伝えるためには関門があります。最初の関門は自分に関係があることだ、と気づいてもらうことです。

人は自分に関係があることにしか興味を持ちません。これは人間の真理です。自分に関係があることだと気づけば、まずは目にとめてもらうことができます。そこから興味を持ってもらうためには「こうだったもの（before）がこうなる（after）」とわかってもらうことが必要です。ただひたすら「こうだったものがこうなる」だけを言い続けて急成長した企業があるのですが、ピンと来る方はいらっしゃいますか？

「こうだったものがこうなる」「こうだったものがこうなる」・・・・そう！ ライザップですね。ライザップが良いか悪いかという話ではありません。ただひたすら何度も「こうだったものがこうなる」と言い続けたら、ライザップのように人は興味を持つ、ということを言いたいのです。

ライザップの広告がこれだけ成功したのは、「before」画像に力があったからです。もし「after」画像だけだったら、人の目にはとまらなかったでしょう。なぜなら「after」画像は自分には関係がない他人事というメッセージしか発していないからです。「はいはい。女優さんだもんね。キレイですね」で終わりです。

そうではなく、パンツからはみ出すほどの強烈な腹肉をかかえて、暗い顔をしている「before」画像によって「あ！これ私のことだ！」とはじめて人は自分事として受け止めるのですね。「before」画像がそういうメッセージを発しているから成功したのです。

B to C の問題解決型商材では、ライザップほど強烈ではないにせよ、こういった見せ方をする広告は多数あります。これを B to B の展示会で取り入れる方法を考えて導き出したのが展活流の問題解決型チラシ、そしてそれを基にしたブースです。

問題解決型チラシはこちらが伝えたいことよりも先に、お客様の現状の困りごと、つまり「before」が上にあって、強調されています。これがあるからお客さまは「あ！これ私のことだ！」と気づき目にとめてくださいます。そして「こうだったもの（before）がこうなる（after）」と理解してくだされば商談がはじまるのです。

まずは「自分事」と気づいてもらわないことにははじまりません。これは全てにおいて言えることです。頭ではわかっていても具体的にどうすればいいのか、むずかしいポイントですが、今後もあきらめずに追求していきたいテーマです。

わかる人にだけ伝わればそれで良いのか

「うちは特殊なものを扱っているから、わかる人がわかってくれればいいです」

セミナーなどで「出展製品（技術）について、もう少しわかりやすく説明できませんか？」という私の問いかけに、時々返ってくる言葉です。

確かに何万人も来場する展示会において、その全てがお客さんではありません。その中から見込み客だけがあなたの出展製品を見つけてくれればそれでいいのです。そういう意味ではこの発言は間違ってはいません。

ただ、その業界に詳しい人で最初からその特殊な製品（技術）を知っている人にだけ伝わればいい、という意味でおっしゃっているなら、それは単純に損です。それだけ詳しい人なら他に同じような製品を扱っている会社も知っていますから、ほぼまず間違いなく相見積になり、価格と納期で戦うことになるでしょう。
逆にその特殊な製品を知らない人にもわかりやすく、伝えるように出展を工夫することによって、今までその製品を知らなかったけど、潜在的に必要としていたお客さんにも伝えることができます。こういうお客さんは他に同じような製品を扱っている会社のことをまず知りませんから、価格と納期の戦いになる可能性が低く、こういったお客さんこそ展示会で出会いたいお客さんではないでしょうか？
納期と価格の戦いって疲れますよね。そことは違うステージに行きたいと思うならば、わかりやすく伝えることをあきらめないでください。

キービジュアルを決めると全体が決まる

形ある商品を展示会に出展する場合は、チラシやブースで使用する写真が重要になってきます。すでにキービジュアルとなる写真をお持ちの場合は良いのですが、ない場合は一度きちんと撮影をしたほうがいいです。
私が関わらせていただいた企業の中でも、キービジュアルが決まったことによって全体の方向性やブランドイメージが明確になった事例がいくつかありました。

①阿波食品の事例（モデル）

この事例は(有)阿波食品のキービジュアルです。
阿波食品は『スポーツと健康の展示会 SPORTEC』に常温で携帯できる、添加物フリーのささみを出展されました。この商品を食べていただきたい方は、美容と健康のために良質なたんぱく質を摂取したいと望んでいる方です。

　社長のお知り合いにまさにそのイメージにぴったりな女性がいらしたので、その方にモデルをお願いし、カメラマンに公園に出張してもらいロケにてキービジュアルとなるモデル撮影を行いました。非常に良い写真が撮れたことで、こちらをキービジュアルとし、チラシ、ブースに展開をしていきました。

阿波食品のキービジュアル

②三和金型製作所の事例（らんぷ）

　こちらは、㈲三和金型製作所のオリジナルブランド、らんぷの第１弾商品「幸せのペーパーウエイト -Bun-chin-」のキービジュアルです。

　チラシはもちろん、ブースやウェブサイトにも使用できる商品写真をなるべくたくさん撮影する必要があったので、撮影スタジオを予約し、カメラマンに来ていただき200枚ほどの商品写真を撮影しました。良い写真が撮れたことでブランドイメージや展示会コンセプトもグッと明確になりました。

訴求力の高いチラシは、展示会以外でも大活躍！

　この方法で作られた訴求力の高いチラシは、展示会以外でも大活躍してくれます。

ⓐ DMとして

　展活セミナーやコンサルティングを経て作成した訴求力の高いチ

らんぷ（三和金型製作所）のキービジュアル

ラシは、ぜひ展示会前に招待状と一緒に見込み客に送ってみてください。その段階で展示会を待たずに受注に至った事例も複数出ています。

伝えたい人にきっちり伝わるよう情報が整理されているので、プレスリリースに添付するのもいいですね。取材記者の皆さんたちも、これだけ訴求力の高いチラシがあれば記事が書きやすくなります。展示会が終わってから、展示会でお会いした新しい見込み客にもチラシを送り、受注に至った事例もあります。

ⓑ小さなブースのポスターパネルとして

合同出展ブースなど小さなブースでは、自社で自由に展示できるスペースは限られており、A1 サイズのポスターパネル２枚程度しか掲示できない、なんてこともよくあります。そんなときはそのために新たにデータを作成しなくても、チラシの表裏をそのままポスターパネルにすればいいです。訴求力の高いチラシは大きく引き伸ばすとポスターパネルとしても機能します。

ⓒウェブサイトの設計図にも

問題解決型展示会を作ったことをきっかけに、ウェブサイトも問題解決型にリニューアルされる企業もよくあります。そんなとき展示会用チラシはウェブサイトの設計図にもなります。チラシに使用したキャッチコピーやボディコピー、画像やイラストをウェブサイトに配置することで、これまでただの会社案内だったウェブサイトを、受注が取れるサイトに生まれ変わらせることも可能になります。

三和金型製作所（チラシ活用の事例）

和歌山県和歌山市の㈲三和金型製作所は、金属切削による単品や小ロットの部品加工を得意とする町工場です。2021 年にはじめて和歌山県ブースでの合同出展というかたちで『関西機械要素技術展2021』に出展をされるはずでした。

初出展に向けて、わかやま産業振興財団の専門家派遣制度を使い、公のサポートを活用しながら展示会の準備をすすめておりました。ところがこの年、展示場のインテックス大阪６号館は、コロナ患

三和金型製作所の自作チラシ第１弾

者のための臨時医療施設として封鎖するとの発表がなされました。

それを受けて和歌山県は合同出展の取りやめを決定。三和金型製作所の初出展も保留となってしまいました。しかしながら事態はもう一回転し、蓋を開けてみれば臨時医療施設のために封鎖されたものの稼働は数ヵ月先ということがわかり、和歌山県は出展取りやめを撤回。施工はキャンセル済みだったので、会議テーブルにサンプルとチラシを並べただけの簡易ブースでの出展となりました。

コロナに振り回され、てんやわんやの中での初出展となってしまい、結局、展示会からの直接的な成果はあまりありませんでした。しかしここで諦める三和金型製作所ではありません。展示会用に作成したチラシを商談会や営業活動で積極的に配布したのです。

チラシはデザイナーには依頼しないで、全て Power Point で、

三和金型製作所の自作チラシ第２弾

自社で作成されたものです。翌年にはコンセプトを見直し第２弾のチラシを作成。

このチラシも『関西機械要素技術展 2022』の和歌山県ブースでの配布はもちろん、日々の営業活動で積極的に配布。その結果、これら２枚の手作りチラシがきっかけで、三和金型製作所さんが新たに得られた新規顧客からの売上は、累計 2,000 万円を超えています。年商 6,000 万円の企業なので、この数字がいかに大きいものなのか、おわかりいただけると思います。

三和金型製作所は、展活が推奨する方法でコンセプトを明確にワークし、鉄板チラシフォーマットに沿って、問題解決を前面に出したチラシを自社で作成されました。デザイナーの手は入っていません。これはもちろん三和金型製作所の努力の賜物ですが、自社の問題解決力がわかりやすく伝わる、問題解決型チラシが持つポテンシャルを再認識させていただいたエピソードでもありました。

第3章

見込み客がぞくぞく集まるブースの作り方

かっこいいブースは誰のため？

ブースがかっこいいことと、見込み客がぞくぞく集まることはまったくイコールではありません。かっこいいブースを作ってうれしいのって、誰なのでしょうね？　お客さんにとってブースがかっこいいかどうかはまず関係ありません。ブースがかっこよくてうれしいのはブース側のスタッフではありませんか？　お客さんにとって大事なのは自分に関係があるかどうか、自分に何かしら良いこと・メリットをもたらしてくれるブースかどうか、それだけです。

先にも書いたように、展示会ブースを伝達力でレベル分けすると、３つのレベルに分けることができます。レベルＣはイメージブース。社名とロゴだけのブース。レベルＢはできることを並べているだけのブース。レベルＡは問題解決型ブース、すなわち誰のどんな困りごとが解決できるのかがわかるブースです。もちろん一番良いのがレベルＡで、一番良くないのがレベルＣのイメージブースです。

イメージブースは確かにかっこいいです。例えば黒色などの一色で壁面を塗りつぶし、白色のロゴだけを浮き上がらせたようなブースはとてもオシャレです。大企業のブースはイメージブースが多いですよね。トヨタならそれでいいのです。ナイキでもシャネルでもそれでいい。なぜならトヨタやナイキやシャネルが、何屋さんかみんな知っているからです。ロゴだけで伝わるからです。

あなたの会社はロゴや会社名だけで伝わるだけの知名度を持っていますか？　そうではないのならば、そして展示会で伝えたい人に、伝えたいことを伝えて新規顧客を獲得したいという気持ちがあるのであれば、オシャレなブースを作りたいという欲求は一旦置いておき、見た目はあまりかっこよくないかもしれないが、ストレートに問題解決を前面に出したブースを作ったほうが成果につながりやすいです。お客さんはブースにかっこよさを求めているわけではありません。ブースを作り始める前に自分に問うてみることをおすすめします。

チラシを解体して最速でブースを作る方法

中小企業が多く出展する展示会のブース１小間は、信栄ゴム工業の画像のように幅３ｍ、奥行３ｍ、高さ 2.7 ｍというサイズが最も一般的ですが、展示会によってサイズや仕切りパネルの数は違います。ブースを作る、ということはこの空間をどのように装飾していくか、ということです。

その答えは、ブースの作り方の基本は「チラシを解体して割り付けていく」です。

①信栄ゴム工業（B to B 型）

こちらの信栄ゴム工業のブース、チラシで作成した素材を割り付けて作られていますよね？　これだけ訴求力の高いチラシが作られていれば、チラシを設計図としてブースを作っていくことができるのです。

信栄ゴム工業のチラシとブース

こうすることで掲示物と配布物に一貫性が生まれ、見込み客に伝わりやすくなります。キャッチコピーの「両手サイズから1メートル超のゴム製品でお困りの方へ」の部分がパラペット（上部鴨居部分）に。「ゴム製品の悩み事まとめて解決！」の部分が2m分のタペストリーに。困りごと解決3つがそれぞれ1m分のタペストリーになっているのがおわかりいただけるかと思います。

②阿波食品（B to B to C 型　問題解決型商品）

阿波食品のチラシとブース

添加物フリーで国産レトルトのささみを『SPORTEC2023』に出展された阿波食品。こちらのブースはチラシの素材を基に、9枚のタペストリーと1枚のパラペット用幕で構成されています。この写真では全体像がわかりにくいので、タペストリー原稿をお見せしますね。

チラシのキービジュアルとキャッチコピーを正面に1m × 3つ。問題解決3つとキャッチフレーズが掲載された1m幅のタペストリー3つを左右の側面に。合計9つのタペストリーが壁面を覆いつくしているので、まるで壁面加工をしたような効果を発揮しています。

阿波食品のチラシ

パラペット

タペストリー正面

タペストリー側面左

タペストリー側面右

阿波食品のブース壁面タペストリー

③大磯屋製麺所

大磯屋製麺所は、愛知県碧南市で製麺をされている会社です。「食べればわかるこだわり製法　大磯屋の熟成焼そば」を『こだわり食品フェア 2023』に出展されました。

飲食店のバイヤーを対象としたチラシを基にブースを設計。ひっきりなしに人が立ち止まるブースとなりました。こちらの写真は全体が見えないので、タペストリーとパラペットの原稿をお見せします。

大磯屋製麺所のチラシとブース壁面タペストリー。上はパラペット

このようにチラシの素材を基に、タペストリーとパラペット用幕が作られています。このときは１小間を２社で使う仕様だったため、タペストリーは３m分のみ制作しました。結果、多くのバイヤーさんが立ち止まり、成約につながりました。

１小間ブースの壁面装飾におすすめ「タペストリー」

私は中小企業の展示会出展の際の１小間～２小間ブースの壁面装飾には、タペストリーをおすすめしています。ポスターパネルでも

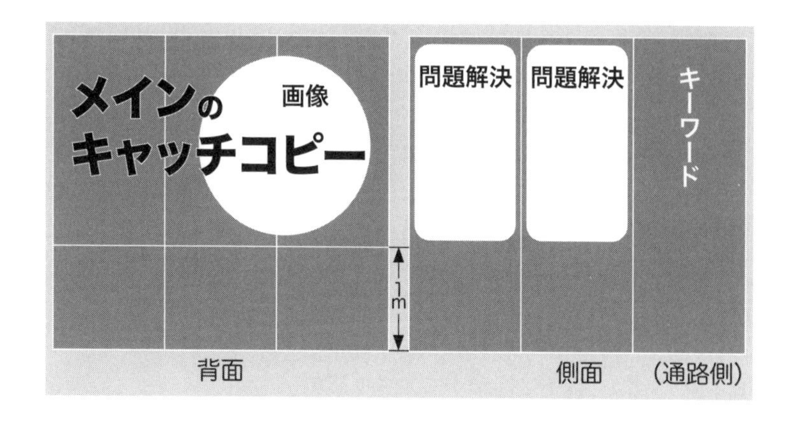

良いのですが、何度も使うと折れたり割れたりしますし、両面テープで貼るとよく落ちてくるし(笑)、何といってもダイナミックな表現ができません。

その点タペストリーで壁全体を覆うように装飾すると、まるで壁面加工をしたような効果があり、吊るすだけなので設営も簡単です。更に繰り返し使えます。デメリットはポスターと比べると予算がかかることです。その点は今後、何度も使うことを考えて決めていただければと思います。

だからこそ、制作時におさえておくべきポイントをしっかりとおさえ、作り直すハメにならないように気を付けたいですよね。

①３mのデザインの場合でも１mを３つ作る

１つ目のポイントは、３mのデザインの場合でも１mを３つ作ることです。３m１セットのダイナミックな表現をするために、３mのタペストリーを作ってしまいがちですが、３mで作ってしまうと保存時に確実にシワが入り、２度目以降に使用する際に不細工です。

また３mをピンと張って吊るのは、なかなか難しいです。１m幅を３つ作って例えイメージの途中に切れ目が入っても、現場ではまったく気になりません。１つのイメージとして認識できます。

正確に言うと１ｍ幅では広すぎます。940mm ～ 960mm 幅で作るときれいに収まります。

②ベースを濃い色・文字は明るい色

ベースを濃い色・文字は明るい色にすると目に飛び込んでくる表現になります。逆に難しいのは白色です。ベース部分に白を多く残せば残すほどデザインセンスが問われ、ただの手抜きブースに見えがちです。

③下部１ｍは、情報は書かずに塗りつぶす

せっかくタペストリーを作るのだから、下まで情報を載せたい気持ちはわかりますが、下部１ｍは展示台で見えないので、情報を掲示しても読めません。白で残すよりもベース色で塗りつぶすほうがブースに一体感が生まれ、すっきりとまとまります。

タペストリーをブースの壁面にどのようにして吊るのかというと、Ｓ字フックでひっかけます。ブース仕切りパネルの上面には４ミリの溝がありますので、その溝とタペストリーの金具をＳ字フックでつなぐ感じです。

具体的にタペストリーをどこに発注すればよいのかという点ですが、壁面ジャストサイズで作成するためには、やはりプロの手を借りる必要があります。イラストレーターデータで入稿用データを作成する必要があるので、まったく知識がない方には難しいと思います。

おすすめは普段会社案内などを作ってもらっている、お付き合いのある印刷会社に相談されるとよいかと思います。その印刷会社で作れなくても横のつながりで制作できるところを紹介してもらえると思います。

ジャストサイズにこだわらないのであれば、ラクスルなどネット印刷サイトからA0（ゼロ）サイズのタペストリーを注文することができます。原稿はwordやPower Pointで大丈夫ですが、このやり方では壁面加工をしたような見た目の壁面にはなりません。

中小企業の初出展において、出展料と並ぶ大きな投資はタペストリーです。以上のポイントに気を付け見込み客の目にとまらざるをえないような壁面装飾を作ってくださいね。

中小企業が絶対にやってはいけない、典型的失敗ブース

有名フリー素材サイトで「展示会」と検索すると、このようなイラストが出てきました。いわゆる皆さんの頭の中にある展示会のイメージってこんな感じですよね。ブースの壁に沿わせるように展示

台があって、そんなに大きくないパネルが壁に掲示されている・・・・
これだと展示会の出展目的、すなわち伝えたい人に伝えたいことが伝わる展示会にはならないでしょう。
ではこのイラストと先述の信栄ゴム工業のブース、何が違うかわかりますか？　1つずつ解説してまいります。

①1つ目は「壁面・文字の大きさ」です

前ページのイラストでは壁面にはパネルを掲げています。一番大きな文字でもおそらく5ｃｍ角くらいでしょうか？　展示会では歩いている来場者に一瞬で「何を出展しているブースか」を認識してもらう必要があります。
そのためには一番伝えたいメッセージは、ブースの奥行き3ｍプラス通路の幅を隔てても目に飛び込んでくるサイズの大きさの文字を掲げる必要があります。なので残念ながらイラストのような典型的展示会ブースの壁面パネルでは、そもそも大きなサイズの文字を掲載することができないので、何を出展しているブースなのか、来場者に一瞬で認識してもらうことは難しく、成果に繋がる展示会にはなりにくいのです。
では、壁面にはどれくらいの大きさのメッセージをどのように掲げれば、一瞬で来場者に認識されるのでしょうか？　来場者に一瞬で認識される文字の具体的な大きさの目安はズバリ！「顔の大きさ」です。

右ページは『メッセナゴヤ 2022』に初出展をされた、愛知県一宮市のマルハチ工業㈱のブースです。トイレットペーパー過剰利用防止装置「TOMECO」を出展されました。初出展にも関わらず常に人だかりができるブースとなり、思わぬニーズも複数拾え、手応え十分な展示会となりました。
壁面に掲げたキャッチコピーとお二人の顔を見比べてみてください。トイレットペーパーの「ト」と同じくらいですよね。これくら

顔と同じ大きさでキャッチコピーが掲げられているマルハチ工業のブース

い大きな文字で伝えたいメッセージを掲げることで、通路を歩く来場者にも一瞬で認識いただくことが可能になります。このサイズは会議室で見るとビックリするくらい大きいです。しかし実際の展示会の現場に持ち込むと、これくらい大きなサイズでちょうど良いのです。

②２つ目は「展示台の位置」です

展示会ブースの１小間は３ｍ×３ｍというサイズが最も多く、そこそこ奥行きがあるので、普通に考えると、悪い例のイラストのように展示台は壁に沿わせて並べ、ブース内を回遊できるようなレイアウトになると思います。

しかし一度でも出展をするとわかるのですが、中小企業の１小間ブースでは、なかなかブース内に入って来てはもらえないのです。なので展示台は通路に沿わせるように前に置くのが正解。このほうが来場者の目に止まりやすく、立ち止まっていただきやすいブースになります。

展示台が前面に配置された石川製作所のブース

具体的にはこんな感じになります。こちらは『メッセナゴヤ2023』に出展をされた㈱石川製作所のブースです。石川製作所は「曲げ数が多い金属線材加工の困りごと解決」をコンセプトに出展をされました。

通路に沿わせて展示台を置き、そこに困りごとで分類された加工サンプルが並びます。石川製作所の強みである線材加工の技術を気軽に手に取って感じていただけるブース設計になっています。模擬ブースで並べてみると３ｍというのは思いのほか深い奥行なので、そのスペースがもったいなく感じ、ついつい回遊性を狙うようなレイアウトに変更したくなるとは思いますが、これは何度もABテストを繰り返して、たどり着いた答えなのです。

繰り返しになりますが、１小間ブースではブース内に入って来てもらうのは難しいです。なので、展示台は前面に！通路に沿わせるように置いてください。

典型的失敗ブースのイラストのレイアウトは、美術作品の展覧会や大学の研究発表であれば適しているのかもしれません。興味がある人はじっくり見ますからね。しかし展示会は来場者の目線を一瞬で捉え、興味を持ってもらったら即、行動に移してもらえるように設計する必要があります。それを叶えるためには展示台は前面です。ぜひ覚えてくださいね。

③３つめは「パラペット（鴨居部分)」です

展示会ではたくさんのブースが並びます。来場者はたくさんのブースの中から自分が求めているような製品・技術・サービスを出展しているブースを探すために、無意識にある行動をします。その行動とは？　それは上を向いて歩く、という行動です。来場者は上を向いて歩きながらブースの上部にある情報から自分が足を止めるべきブースなのかどうかを判断します。ブースの上部にあるもの、それはパラペット（鴨居部分）です。

先のイラストにはそもそもパラペットが設置されていません。特に中ブースの場合は角ブースと違い、通路から見える面積が小さいので、パラペットの重要性が増します。追加料金を払ってもパラペットを設置する価値は十分にあります。

しかしパラペットは社名版と呼ばれることもあるので、多くの企業がここに社名を掲げています。仕事内容が想像できるような社名ならまだ良いのですが、例えば「㈱オオシマ」とかだと何屋なのかまったくわかりません。なのでパラペットには社名よりもキャッチコピーを掲げると効果的です。

次ページは『メッセナゴヤ 2022』に出展をされた早川工業㈱のブースです。板金とプレスの良いとこどりをして、お客さんが求める加工をより効率的にお届けするサービスを出展されました。パラ

早川工業のブース

ペットには社名ではなくキャッチコピーを掲げました。

お客さんの心の動きは下記の通りです。

1. 上（パラペット部分）を見て自分と関係があるブースかどうか判断をする
2. 壁面の掲示を見て出展内容を認識する
3. 展示台を見て具体的に何を提供してくれるブースなのかを理解する

このような、パラペット部分に何を掲げるか、立ち止まってもらうための最初の関門なので、非常に重要なポイントなのです。

たまに「パラペットには指定の社名版以外掲載してはいけない」というルールの展示会もあります。そういう場合は社名の両サイドに追加で何か貼るとか、社名版の下にのれん的に幕を垂らすのもあ

パラペット有りの角ブース（左）と無しの角ブース。モニターの置き方が変わる

りですが、それをやると壁面の見える範囲が低くなるのでバランスを見ながら調整が必要になります。

それから角ブースの場合は、来場者から見える面積がそもそも広いので、パラペットあり、なし、どちらのパターンもありです。角ブースの場合はモニターを斜め置きして、どちらの通路からも動画を認識できるように配置するのが効果的ですが、パラペットを入れるとどうしても角に柱が来てしまうので、このモニター斜め置きのテクニックが使えません。

展示会以外ではほぼ使われない「パラペット」という言葉。展示会では重要なポイントになってくるので、ぜひ頭の隅に置いておいてくださいね。

④４つ目は「照明」です

先のイラストの展示会ブースには、照明が設置されていません。初出展時はそこまで気が回らないかもしれませんが、展示会に照明無しで臨むのはかなりリスキーです。これは決して展示会会場が暗い、という意味ではないのです。大企業ブースは展示会用の１個レンタルで15,000円する強力なライトを20～30個使用するところが多いです。照明の重要性を経験で知っているからです。
　そのようなとても明るいブースの隣に、自社のブースが配置されてしまった場合、比較でとても暗く見えてしまうのです。実際に展示会会場で見比べてもらうとよくわかるのですが、暗いブースはなんとなく立ち寄りたくない印象を与えてしまうのです。

　右ページは『モノづくりフェア 2022』に出展をされた加藤精工㈱のブース。小型精密切削部品、特に「軸物」加工の困りごと解決をテーマに出展をされました。
　ブースは１ｍに１個照明が設置されていますよね。背景色の黄色との相乗効果で会場内でも一際目立ち、多くの人の目を引き、足を止めるブースになっていました。１ｍに１個くらいの目安で照明を設置しておくと、隣がかなり明るいブースだったとしても、まず大丈夫です。
　照明の調達方法は、借りる・買う・作る、という３つの方法があります。最初の出展時は「借りる」をお勧めします。強力ライトは１万円以上しますが、通常のスポットライトであれば１個数千円です。
　とはいえ借りるのは高くつくので「買う」という選択肢もあります。この場合クリップライトを買うかたちになると思いますが、その場合、どうしても反対側のブースにクリップの片側が干渉してしまうので、反対側のブース出展社へのご挨拶が必要になります。
　３つ目の「作る」という選択肢。展示会のシステムブースは大体どこも同じ規格で、上部に４ミリの溝があります。その溝にぴったり噛むような治具を作成すると反対側のブースに干渉しない照明器具を作ることができます。ものづくり企業は何でも作ってしまわれるので、これまでも様々な照明用の自作治具が生まれました。
　とりあえず初出展の企業は照明無しで臨むのは危険、ということだけでも覚えておいてください。

１mに１個スポットライトが配置された加藤精工のブース

ブースの伝達力を上げる具体的な方法

実はレベルＢのブースをレベルＡにするのは、そんなに難しいことではありません。具体的な方法を紹介していきます。

阿波食品さんの「添加物フリーの国産レトルトささみ」を例に説明します。この商品は美容や健康のためにトレーニングをされており、良質なたんぱく質を摂取したいと思っている方に向けて発売された商品です。この製品を展示会で伝えようとするとき、何も考えずにできることを羅列しただけだと下記のような表現なります。

キャッチコピー：あなたのパフォーマンスを支えます
特徴：国産ささみ100%、添加物フリー、常温保存１年これではレベルＢです。これをレベルＡの「誰のどんな困りごとが解決できるのか」が伝わる表現にしようと思うと下記のようになります。

キャッチコピー：そのたんぱく質はあなたに合っていますか？
困りごと：
・食品添加物は摂りたくない！
・プロテインが苦手！
・市販のサラダチキンは常温保存できない！
提供できること：
・国産ささみ100％
・添加物フリー
・常温保存１年

これがレベルＡ。問題解決型です。わかりやすいようにかなり簡略化していますが、できることを羅列しただけの表現から、どんな困りごとがどうなるかが伝わる表現に変わっていることがおわかりいただけますでしょうか。ＢをＡにするためには伝えたい人とその人が何に困っているのか、何を求めているのかを明確にする必要があります。それをするために１章で述べたコンセプト明確化ワークが重要なのです。

「提供できること」と「その根拠となる製品の価値・強み」だけを並べるとレベルＢです。そうではなく「誰」と「その人の困りごと」を前面に出した上で解決策を提示すると問題解決型のレベルＡになります。「誰に伝えたいのか」「その人は何に困っているのか・何を求めているのか」を言葉にすること。それがＢをＡにするための第一歩であり、全てです。

いかがでしょう。レベルＢをＡにするのは、そんなに難しいことではありませんよね。今の自社の展示会がレベルＢだという自覚がある方は、Ａへの転換にチャレンジしてみてください。

ブースで使用する色数

来場者の目にとまる展示会ブースをつくるために色使いは重要なポイントです。華やかなブースは確かに目を引きます。では華やかなブースとはどのようなブースなのでしょうか。たくさん色を使えばよいの？　という疑問を持たれると思います。そういった質問をいただいた際の私の答えは下記のとおりです。

ブースで使用する色は基本的には３色。色を使いすぎると統一感がなく、ごちゃごちゃした印象のブースになってしまいます。そして３色の割合にもポイントがあります。デザインの専門家ではない私が言うのもおこがましいのですが、配色の割合は「ベース70%　メイン25%　アクセント５%」がデザインの基本だそうです。私はたくさんの展示会ブースを見てこれくらいの割合が、一番統一感があってバランスが良いと感じていました。

展示会で使用する色を選ぶ際のポイントはベース色です。ホームページなどの配色であればベース色は白やグレーでもよいのですが、展示会ではベース色を白や薄い色にすることはおすすめしません。なぜなら展示会会場が白や灰色だからです。白や灰色の空間でパッと目をひくブースは、ベース色が濃い色のブースです。なのでベース色は真っ赤・真っ黒・濃い青などパキっとした色がおすすめです。そしてその反対色に近い色をメイン色にするとコントラストがくっきりし、インパクトの強いブースになります。

色を増やしたい場合はアクセント色５%の割合の中で増やすと、統一感が守られたまま色を増やすことができます。ベース色の割合を浸食してしまうとごちゃごちゃした印象になります。

展示会のテーマカラーを選ぶときに頭の隅に置いておいてほしいこと

パステルカラーのブースは、ハッキリとした原色系の色のブースと比べてボヤっとした印象を与えます。展示会ブースのテーマカラーを選ぶ際は何を基準にしていますか？　ホームページなどで用いている元々の企業のコーポレートカラーを、そのままブースでも採用されるところが多いように思います。女性が社長をされている場合に多いのがピンクをコーポレートカラーとされている企業です。ピンクは優しさや女らしさをイメージさせる良い色だとは思いますが、それをブースに使ったとして隣に赤色のブースが並んだら、どうしても人の目は赤色のほうを先に見つけてしまいます。なので、ピンクを使いたいのであれば淡いピンクではなく濃いピンクにするなどの工夫をしたほうが良いでしょう。

誤解のないように言っておきますが、私はパステルカラーのブースがダメだと言っているわけではありません。そのブースで伝えたいことを伝えるために、どうしてもパステルカラーを使う必要があるのであれば、堂々とパステルカラーのブースを作ってください。それを必要とするお客さんはきっと見つけ出してくださいます。

私がこの項で言いたいことは、パステルカラーとハッキリした色を並べたときに、目にとまりやすいのはハッキリとした色のほうだ、ということです。私はよく「パキっとした色」という表現を使います。なんとなく伝わるでしょうか？（笑）　どのような色を使うか迷ったときの参考程度に、この情報を頭の隅に置いておいていただければと思います。

角小間と中小間の違い

展示会に来場者として参加する際は、ブースの位置が角だろうが中だろうが特に気にすることはないと思います。しかし自分が出展社側になった途端、ブース位置が角なのか中なのかで結構違うので、ブースがどこに配置されるかはとても重要なポイントです。

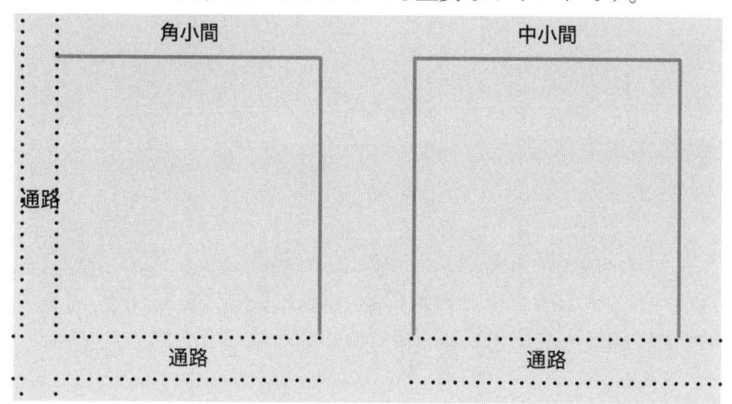

多くの場合、ブースの位置がわかるのは展示会の２ヵ月ほど前に開催される出展社説明会です。大抵、出展者説明会で会場図が配られ、それによって自社がどこに配置されたのかを知ります。展示会によっては角小間と中小間で価格設定を変えているところもあります。その場合、高額なのは角小間です。なぜかと言うと、角小間は２面が通路に面しているので、来場者からの視認性が高いからです。

準備物も変わってきます。３ｍ×３ｍのブースだとすると、角小間の壁面は６ｍ。なので６ｍ分の壁面装飾（タペストリーやポスターなど）を準備する必要があります。中小間の壁面は９ｍなので、角小間よりも３ｍ分多く壁面装飾の準備が必要です。

パラペット（鴨居部分）は中小間の場合は準備した方が良いです。来場者は上を見ながら歩き、自社に関係あるかどうかを判断してからブースの中に視線を移すからです。角小間の場合にパラペットを設置するかどうかは判断が分かれるところです。角にモニターを斜めに置いて動画を流すことは来場者の足を止めるのに有効なのですが、角小間にパラペットを設置しようとすると、角の部分に柱を立てる必要が出てきてモニターの斜め置きができなくなるからです。

以前、アルミトラスを使ってパラペットを作り、角部分ではない場所に柱を立て、モニターの斜め置きを可能にしたブースを見たことがあります。視認性を高めるために皆、いろいろと試行錯誤しながら工夫されているのだな、と感心しました。

展示台は角小間の場合は２面に、中小間の場合は１面に置くことになります。なので、中小間の場合は展示台をひな壇状にし、奥の展示台を高くして展示する方法をおすすめしています。

角が当たればラッキーですが、中小間でもきちんと対策をすれば来場者でにぎわうブース作りは可能です。それぞれに必要な準備物を把握した上で、当日に備えてくださいね。

展示会に布類を持ち込む際に注意すること

展示会の出展社説明会に行くと分厚い説明資料が配られ、たくさんのルールの説明があります。ルールは展示会主催者や使用する会場によっていろいろですが、多くの展示会で「防炎規則」というルールがあります。会期前日か会期中に最寄りの消防署の査察があり、防炎規則を守っていないブースは出展を取り消されることもあるとか。施工ブースの場合は装飾用合板に防炎合板を使うこと。中小企業のブースで施工ブースは少ないので、この部分はあまり関係がなさそうです。関係があるのは下記の部分です。

- **防炎対象物品（防炎処理が必要なもの）**
  a カーテン
  b 仕切り用に用いられる布製のアコーディオンカーテン・つ

　いたて
c 装飾のために壁面等に沿って下げられる布製のもの
d 布製ののれん・幕等・暗幕
e 映写用スクリーン
f 布製のブラインド
g 絨毯・カーペット・人口芝・ござ
h シート類

ｃの「装飾のために壁面等に沿って下げられる布製のもの」は、タペストリーのことですね。あとはａ～ｈのどれに該当するのかわかりませんが、テーブルクロスも布ですね。防炎処理がされているかどうかは防炎ラベルで判別します。このラベルは日本防炎協会というところが発行をしていて、認可が下りた素材に添付することができます。タペストリーやテーブルクロスを作る際は、制作会社の方にあらかじめ「防炎認可が下りている素材で作ってください」と、お願いしておくと安心ですね。

展示会用照明選び、考え方の基本

前述したように、展示会の初心者が忘れがちなポイントの１つに照明があります。これは私の展示会見学ツアーに参加いただくと100％理解していただけるポイントなのですが、展示会ブースにおいて照明が担う役割はかなり大きいです。明るいブースは賑わっているところが多く、暗いブースは立ち寄りがたい雰囲気を醸し出します。展示会会場自体が暗い、ということはめったにありません(たまにありますが…)。そうではなくて隣のブースとの比較で暗く見えるブースがあるということです。

大企業のように強烈に明るいブースの隣に自社ブースが配置される可能性もあります。そうした場合に自社が照明なしとか、少ない照明のブースだと比較で暗く見えます。ここ数年LEDが普及したことで照明を増設しても電源の追加料金を支払わなくて済むようになりました。そうしたことを背景に明るいブースは増える傾向にあります。

照明には大きく白色系とオレンジ系の２色があります。どちらの色を選べばいいですか？　という質問をたまに受けます。基本の考え方は次のとおりです。太陽の色を思い浮かべてください。太陽が真上にあるときは白色。夕日はオレンジ色です。なので昼間に使う製品・技術・サービスを出展するのであれば白色、夕方以降に使うものを出展する場合はオレンジ色。これが基本の考え方です。夕方以降に使うものとなるとインテリアや癒しグッズなどでしょうか。ほとんどの出展は昼間に使うものだと思うので、白色系を選んでおくとまず失敗しません。

照明は経費がかかるアイテムだし、そこまで重要なのかピンと来ないかもしれませんが、一度照明に注目して展示会を見学してみてください。照明が来場者に与える印象の違いを必ず感じていただけるはずです。

ハーネスの困りごと解決！
三洲ワイヤーハーネスの事例

愛知県碧南市の㈱三洲ワイヤーハーネスは、自動車や工作機械の中にはりめぐらされている電線の束＝ハーネスを加工している会社です。はじめて展示会に出展されたのは『メッセナゴヤ 2016』でした。その際はすべて自社で準備をされました。反応がないわけではありませんでしたが、目の前のブースと比べて明らかに自社ブースの伝達力が高くないと感じられ、目の前のブースの方に「どうやってこんな良いブースを作ったの？」と質問をしました。そしてその企業さんから展活セミナーのことを聞き、翌年参加してくださいました。

その展活セミナーを経て、三洲ワイヤーハーネスのブースは次のように変わりました。

何がどう変わったのか具体的に説明します。

before は製品を並べただけのブース、いわゆるレベル B のブースです。「誰」に伝えたいのかが全くわからないのが一番問題です。他にもパラペットを使いこなせていなかったり、文字が小さすぎて通路から読めなかったり。全体的に余白が多いブースでした。

before　製品を並べただけのブース

かつての三洲ワイヤーハーネスのブース

after　問題解決型ブース

改善された三洲ワイヤーハーネスのブース

展活セミナーを受講し、問題解決型ブースにリニューアルされたafterは、「誰のどんなお困りごとが解決できるのか」が明確なブースになりました。他にもパラペットを効果的に活用、通路からも読める文字の大きさ、印象的な色使い、前面に置かれた展示台、照明の量などを改善。本当に立ち止まって欲しい人に確実に立ち止まってもらえるブースに生まれ変わりました。その結果、展示会で出会った複数の大手メーカー、サプライヤーとの直接取引がはじまりました。

現在の三洲ワイヤーハーネスのブース

現在、三洲ワイヤーハーネスは、オートモーティブワールドなどの専門展を中心に6mブースで出展をされています。この規模の出展は出展料だけで100万円かかりますが、それだけの経費をかけても得られる成果があるということです。

新ブランドのお披露目の場
「らんぷ」三和金型製作所の事例

和歌山県和歌山市の㈲三和金型製作所は、2023年に自社ブランド「らんぷ」を立ち上げ、その第一弾商品として「幸せのペーパーウエイト -Bun-chin-」のお披露目の場として『大阪ギフトショー

2023』に出展をされました。

角ブースの強みを活かし、メインのタペストリーを斜めに配置。インバウンド向け商品を扱う方や、目の肥えた顧客を持つバイヤーの目に止まる高級感あふれるブースが完成しました。

らんぷ（三和金型製作所）のブース

角の頂点部分の最も来場者が足を止める場所には、商品の「文鎮」の美しさが引き立つよう、下から照明が当たるようカスタムされた展示台を設置。全体が見えるよう文鎮はフィギュア用の回転台でゆっくり回して展示。

高級感ある木箱に入れた状態も見えるようにし、高級ギフトであることを印象付けるような展示をしました。

展示台１：文鎮の美しさを伝える展示

展示台２：海外でのご利用シーンを伝える展示

左右の展示台には、ご利用シーンをイメージいただけるよう展示。こちらは日本好きの外国人が書斎で文鎮を使用した場合のイメージ。

展示台３：和室でのご利用シーンを伝える展示

こちらは、和室で文鎮を使用した場合のイメージです。このような展示をしたところ、本当に求めるお客さんが確実に立ち止まるブースとなりました。

タペストリーを斜めに配置できているのは、施工段階でこのような梁を入れるよう主催者に依頼をしたからです。このおかげでタペストリーがより際立ったことに加え、タペストリーの奥に小部屋を作ることができます。こうすることでストックスペースが確保でき

追加で梁を入れる施工を依頼することでタペストリーの斜め配置が可能に

るのはもちろん、商談内容をさっとメモをしたり、少しだけ休憩したりするスペースとして　使用することができるのです。

このように様々な工夫をこらし異彩を放っていた「らんぷ」のブース。展示会をきっかけに「幸せのペーパーウエイト -Bun-chin-」は、百貨店と和物専門のECサイトでの取り扱いがはじまり、他にも複数の案件が進行中です。

オススメ！ 勉強目的で展示会を見学する方法

訴求力の高い展示会ブースを作るために何をすればよいのか、この答えはつまるところ「数をたくさん見ましょう」ということになります。展示会に出展すると決めたらぜひ他の展示会を見てください。業界が違う展示会がおすすめです。自社の業界ではありえないような斬新なアイディアが見つかるかもしれません。この10年、展示会見学ツアーのツアコンを幾度となくつとめてきた私がオススメする勉強目的で展示会を見学する方法は下記のとおりです。

①会場マップを手に全体をざっと見て回る

気になったブースに戻り、じっくり見る。説明員さんと会話を交わす。

②お願いして写真を撮らせてもらう

展示会は原則、撮影禁止です。ただ出展社の許可を得れば撮影しても構いません。最近は「どんどん撮ってSNSで拡散してください」と撮影歓迎のブースも増えました。ぜひ勇気を出して撮影許可をとって写真を残してください。なぜ写真を残すことが大切なのかというと、「いいブースだな、マネしたいな」と思ってもたくさん見ているうちに忘れるからです。写真に残しておけば、社内に戻ってからも他の展示会チームのメンバーと写真を見ながら「次はこのアイディアを取り入れてみるのはどうだろう」という議論が可能になります。断られることもあることはありますが、そんなときは気を落とさず切り替えて次に行ってください。

③良かったポイントを記録しておく

なぜそのブースを良いと思ったのか、キャッチコピーの言葉は？

装飾や色遣いは？　ブースの明るさは？　展示の工夫は？　気づいたことを必ず書き残しておいてください。このレポートが10個もたまるころには、自社のブースイメージもずいぶん明確になってきていることと思います。

第4章

えっ?!
展示品がない?!

「守秘義務があるので加工部品は展示できません」

「うちは製造加工業だから製品がなく展示するものがない。お客さまから預かっている部品は守秘義務があるから出すわけにもいかないし…」。展示会なのに展示するものがない。当人にとっては深い悩みかもしれませんが、この質問への答えは1つしかありません。

「展示会用の展示物を作ってください！」。展示会用の展示物、というともものすごく大層に考えてしまい、巨大なモニュメントのようなものを作られる方や、尋常じゃないほどの精密加工がほどこされた模型を作られる方がいらっしゃいます。休日を返上してそういったものを作ることが好きで、それ自体が楽しいならいいと思うのですが、何もそこまでしなくてもいいのです。

それよりもまずは出展コンセプトを明確にし、「誰のどのようなお困りごとを解決できる技術なのか」を言語化します。そしてその問題解決を説明するにはどのような展示品があれば説明しやすく、相手に伝わりやすいのかという順番で考え、必要な展示品を準備されるのが一番成果につながりやすいはずです。展示品はいつも作っている部品を簡略化したようなものでもいいと思います。問題解決を説明するための助けになること、これが展示会のための展示品を作るときに外してはいけないポイントです。

具体的に何を作って どのように展示をすれば良いのか

おすすめはチラシの問題解決の部分を取り出してポップにし、それぞれの問題解決を説明できるような展示品を作って並べる、というやり方です。

例えば、出展コンセプトが「熱害対策でお困りの方へのご提案」「小

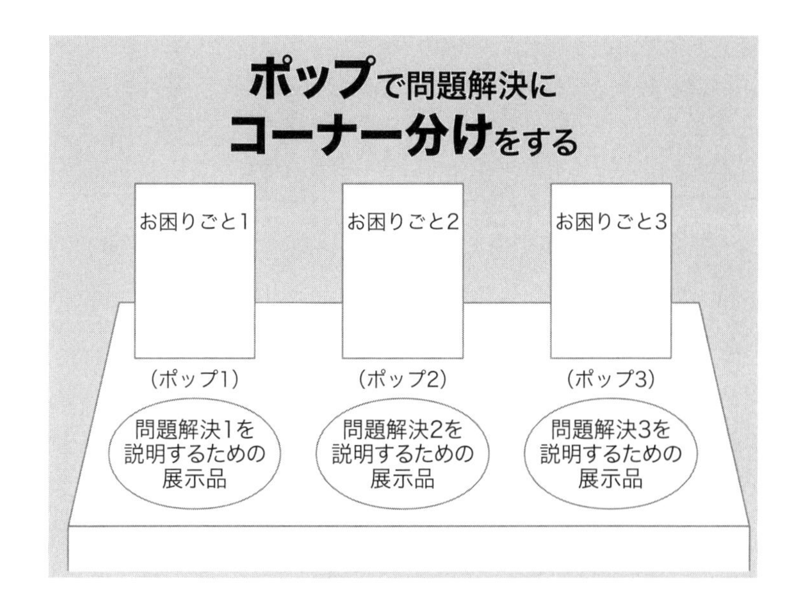

型化でお困りの方へのご提案」「軽量化でお困りの方へのご提案」と決まったとします。であれば、熱害対策コーナー、小型化コーナー、軽量化コーナーの３つをもうけ、それぞれのコーナーを示すために、３つの困りごと解決を表示したポップを作成します。

そしてその前にそれぞれの問題解決を説明するための展示品を陳列します。ここに並べられるような展示品がないのであれば作ってください。そうやって困りごと別に展示品を分類して展示することで、お客さまに伝わりやすくなり、結果として成果につながる展示会になります。

ポップの大きさはA4サイズを推奨していますが、展示品が大きい場合はポップを小さくして前に持ってきてもOK。その辺りは臨機応変に対応してください。

ときどき、展示台に空間があると不安になるのか、ただただ数を並べる方がおられます。そのやり方はリスキーですらあります。例えば、あなたの会社が「バネ屋」だったとして、展示台に空間があるのが不安で、これまで作ってきたバネを所狭しと、並べて展示したとしましょう。特にキャッチコピーも掲げずに、その展示だけを見た来場者が受け取るメッセージはどのようなものでしょうか？

それは「バネならなんでもお任せ」というメッセージです。どんなバネ屋であっても中小企業なのだから得意なバネと不得意なバネ、利益率の薄いバネがあるはずです。なのに所狭しと、バネを並べただけの展示では､来場者から「こんなバネはできますか？」「あんなバネはできますか？」という不得意であったり、利益率が薄いバネに関する問いかけを多く受けることになります。だって、来場者にはあなたの会社が得意とするバネが伝わっていないのですから。

作りたくもないバネの相談ばかりが来て、結果「展示会に出しても仕様もない客しか来ないなぁ」という感想を抱くことになります。でもそれはお客さんのせいではありません。間違ったメッセージを発信してしまったことが原因です。

得意なバネや利益率の良いバネを展示の軸とし、そのようなバネを求める人はどのような問題を抱えているのかを考え、それをキャッチコピーにするとどうなるでしょうか？　自社が求めているお客さんが確実に立ち止まってくれるブースになるのです。所狭しと、ただ数を並べるだけの展示は「なんでもお任せ」という、来てほしくないお客さんを呼んでしまう危険なメッセージを発してしまいます。ぜひ覚えておいてください。

展示に必要な備品を調達する方法

中小の町工場が展示会に初チャレンジするとき、何もかもがはじめてのことばかりで、わからないことだらけですよね。その１つに「展示に必要な備品の揃え方」があると思います。そんな方におすすめなのが『ストアエキスプレス』という通販カタログです。ストアエキスプレスとは元々は大阪船場では知らない人がいないであろう「セルフ大西」を運営する大西衣料系列のお店。およそ小売店に必要なアイテムならなんでも扱っておられます。現在は大阪・東京・福岡に実店舗もあります。

買い方は実店舗・ネットショップ・通販カタログの３種類がありますが、私のおすすめは通販カタログから買う方法。理由は実店舗が近くにない方が多いし、全ての商品が在庫されているわけではないから。ネットショップは商品名を知らないと検索できないので、通販カタログがおすすめなのです。

例えば「加工部品を立てて展示したい。よくデパートとかで見る商品を立てて展示するためのスタンド、あれが欲しい！」と思ったとして、「あれ」の正式名称を知っている人がどれだけいるでしょうか？　どうやら正式名称は「ワイヤースタンドクローム」というようですが、誰も知らないですよね？（笑）カタログであればパラパラとめくって写真を見ながら必要なものを探せるので、ネットショップよりも使い勝手が良いのです。

アクリルボックスなどは100均でもある程度は揃うので、まずは100均で探してみて、ない場合はストアエキスプレスの通販カタログから探すという順番がいいかと思います。通販カタログ『ストアエキスプレス』は無料で取り寄せることができます。展活企業さんはぜひ１社に１冊、『ストアエキスプレス』を常備しておきましょう！

※くれぐれも「総合カタログ」を取り寄せてください。クリスマス特集号とかではなく。

展示会で動画を流すことで得られる効果

最近の展示会では、動画を流しているブースが増える一方ですね。特に取り扱っている商材が「技術」や「サービス」の場合、展示品に変わるものとして動画を位置づけているブースも多いです。

展示会で動画を流すことには、いくつかのメリットがあります。

①目にとめてもらえる

人間は自然と動いているものに目をとめるので、動画はお客さんの目にとまる効果があります。

②ある程度理解してから話しかけてもらえる

動画で出展している製品・技術・サービスをわかりやすく伝えることで、ある程度理解してから話しかけてくださるお客さんが増えます。

③動画を見ながら待ってもらえる

実は複数のスタッフを展示会に出せない中小企業にとって、これが一番のメリットかもしれません。例えば説明員が２人いて２人とも接客中でも動画があれば動画を見ながらある程度は待ってもらえます。

このように、展示会で動画を流すことによって様々な効果が期待できます。

展示会用動画を無料で作る方法

Power Point で作ったプレゼンテーションスライドを Power Point の機能だけで動画化し、BGM を付ける方法を説明します。

展示会で流す動画は、できることを並べただけのものや、会社案内・工場紹介だけのものでは成果につながりにくいです。「誰のどんな困りごとが解決できるのか」が伝わる問題解決型プレゼンテーション動画にすることで、伝えたい人に伝えたいことが伝わり、問い合わせにつながる動画になります。

しかし、そういった動画制作をプロに依頼すると、それなりの費用が必要です。そこでなんとか中小企業の皆さんにもあまり難しくない方法で費用をかけずに問題解決型プレゼンテーション動画を内製化できないだろうか、と色々考えた末に行きついたのがこの方法です。この動画化方法は決して難しくはありません。何度か試してみたら誰でも簡単に作れるようになります。

ただ、動画のコンセプトを決めるのは容易ではありません。適当に決めたコンセプトでは結局、伝わる動画にはならないからです。リアル展示会と同様に「誰のどんな困りごとが解決できるのか」を言語化し、コンセプトシートにまとめたうえで動画制作にとりかかる、この順番が大切です。

動画を見られる環境の方は、こちらから動画をご覧ください。

https://www.youtube.com/watch?v=pHZyQVe9NG8

①Power Pointで問題解決プレゼンテーションを作成する

すでに展示会用チラシができていれば、チラシを分解することで問題解決型プレゼンテーションを作ることができます。構成はタイトル → 会社概要 → 問題提起 → 解決策１～３ → 選ばれる理由 → 製作事例 → お問い合わせの順です。

②ナレーションを付ける

Power Pointのスライドショータブの中に「スライドショーの記録」または「録画」というアイコンがあるはずです。そこを押すとカメラが起動し、「記録」を押すと録画（録音）がはじまります。この機能のよいところは１スライド１動画形式で保存されることです。言い間違いなどがあった場合は、そのスライドの録画だけを撮りなおせばいいです。この作業を行うことで、Power Pointで作成した問題解決型プレゼンテーションにナレーションが付きます。

③BGMを付ける

1枚目のスライドを表示させた状態で「挿入」→「オーディオ」の順で音楽を選ぶことでBGMを付けることができます。この場合、必ず著作権フリーの音楽を準備してください。著作権がある音楽の場合は著作権料を支払ってください。選択された音楽が挿入されたら「再生」タブをクリックし、開始を「自動」に切り替え、「スライド切り替え後も再生」にチェックを入れます。これをしないと1枚目のスライドにしか音楽はつきません。

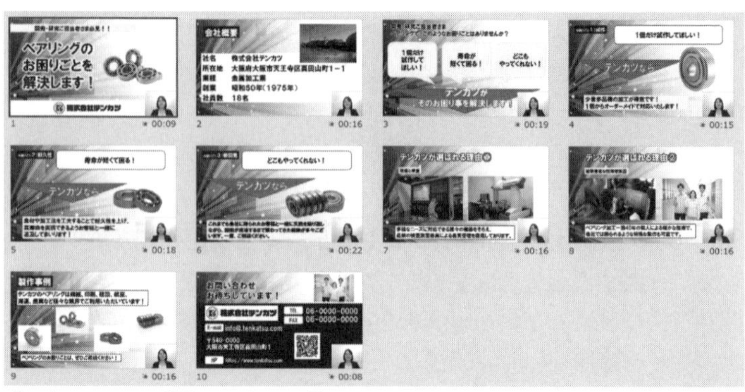

プレゼンテーション動画の元となる10枚のスライド

④mp4形式で保存する

最後にデータを保存する際、形式はmp 4を選んで保存します。そのまま保存するだけではPower Pointとして保存されてしまいます。Power PointはPower Pointで保存をし、動画として別にmp 4でも保存をするということです。

こうやってできた動画がこちらです。

https://www.youtube.com/watch?v=hYBDRru_s5M

展示会用動画にBGMは必要か？

展示会用動画にBGM、つまり音楽は付けたほうが良いのでしょうか？　結論から言うとBGMは付けたほうが良いです。以前、音楽あり動画と音楽なし動画で、展示会の来場者が動画を認識するかどうかの違いを検証したことがあります。やはり人は音楽が聴こえる方を無意識に見る、ということがわかりました。

展示会では呼び込みなどでたくさんの声が飛び交っていますが、その中で音楽というのは人の耳をとらえるのですね。音楽は来場者の注意を引くことにつながります。

例えば、商用利用ＯＫの著作権フリー音楽がダウンロードできる「DOVA-SYNDROME」というサイトがあります。このようなサイトから音楽を選んでみてください。

企業動画のBGMなので歌詞がなくて明るく爽やかな曲がおすすめです。短調な曲やスローすぎる曲はあまり合いませんね。あとジャズも合わないと私は思います。どうしても夜のイメージがあるので。曲選びはハマりだすと際限なく時間がかかってしまいますが、ぜひ自社のイメージに合う１曲を探してみてください。

２つの企業のプレゼンテーション動画の事例

１. 三和金型製作所の事例

チラシを分解してプレゼンテーションスライドを作成し、ナレーションとBGMをつけて動画化するというのは、例えばこういうことです。次ページのチラシをご覧ください、三和金型製作所の問題解決型チラシです。

動画の元となる三和金型製作所の自作チラシ

そして、このチラシを素材として作られた問題解決型動画がQRコードで見られます。こちらの動画は全てPower Pointの機能だけで作られています。

https://www.youtube.com/watch?v=DmRj2KNF86g

2．信栄ゴム工業の事例

次ページは信栄ゴム工業㈱の問題解決型チラシです。
このチラシを基に作られた問題解決型動画はこちらです。
https://www.youtube.com/watch?v=HhrNS-HK418

動画の元となる信栄ゴム工業のチラシ

この動画は無料のクリエイターツール「canva」で作られました。ナレーションは音声読み上げソフト「音読さん」だそうです。canvaはこれまでPower Pointでやっていた作業がほぼ無料でできます。興味がある方はぜひチャレンジしてみてください。

※展示会で動画を流す際の注意

「テレビに取り上げられた際の映像を展示会で流してもよいですか?」という質問を受けることがありますが、これはダメです。テレビ映像の著作権はテレビ局にあります。せっかく出演できたのだから流したい気持ちはわかりますがダメです。可能なのは「○○テレビで取り上げられました」といった表記を入れ、取材されている様子を撮影した写真などは許可を取ればOK。映像の無断使用はダメなので気を付けてください。

展示会の選び方

展示会出展の経験がない会社が、出展に向けてアクションを起こすとき、最初に決めなければいけないことの1つに「どの展示会に出すか」ということがあります。どんな業種の企業でも出展可能な展示会の選択肢は複数あり、その中から自社の「何を誰にどう売るのか」の考え方に合う展示会を選んでいくことになります。

展示会をジャンル分けすると大きく2つに分けられます。総合展と専門展です。総合展とは『メッセナゴヤ』や『産業交流展』など、異業種の企業が出展する展示会のことで、専門展とは来場者層を限定した『○○技術展』などのことです。RXJapan、日本能率協会、日刊工業新聞などが主催する展示会や各種業界団体などが主催する展示会が専門展です。

総合展にも専門展にもメリットとデメリットがあります。総合展のメリットは何といっても出展料の安さ。気軽に出展チャレンジできるのが総合展のいいところです。ただ来場者は決して求めている顧客層と合っている人たちばかりではないので、集まった名刺の数は多くても成約につながる可能性があるような名刺の割合は低くなります。

専門展はその点、求めている顧客層をこちらで選んで出展を決めていけば良いので、成約にいたる名刺の割合は高くなります。ただ出展料は高いです。そのため出展社のブースのレベルが高いので、それ相応の覚悟が必要です。なので、本気で成約にいたる商談を求めるのであれば専門展に出展したほうがいいのは確かなのですが、とはいえ一度やってみないとわからないことがたくさんあるのが展示会。いきなり大きな投資をして専門展用のブースを制作するのはリスキーと言えます。

そこで私が提案したいのは、最初の出展は地元の総合展にすること。そこであまりお金をかけずにブースを作ってみて気付いたことをまとめておく。そういう経験から得たものを持って、大きな投資が必要な専門展にチャレンジしていかれるのが合理的だと思います。そして商材によっては、顧客層を限定しないほうがいいものもあります。その見極めも大切なので、また大前提に戻ることになりますが「誰に何をどう売るのか」を明確にしておくことがキモになってくるのです。

展示会初出展時は、ざっくりいくらかかるのか

展示会に関する費用についての質問もよくお受けします。ただ「ざっくりいくらかかりますか？」という質問にお答えするのはなかなか難しく、節約しようと思うとかぎりなく０円に近い費用で出展できてしまうのが展示会なのです。私の 10 年間の経験から、中小企業の１小間ブースだとして、初出展の際には 50 ～ 60 万円くらいの予算で出展されているのが多い印象です。

展示会にかかる費用の内訳は下記のとおりです。

・展示会出展料
・チラシ・会社案内・カタログ等配布資料制作・印刷
・ブース装飾制作
・ブース展示品
・ブース備品
・搬入・搬出
・宿泊費・交通費

このような費用をどう使うのかも大切です。

①展示会出展料

展示会の出展料は１小間ブースだとして０円〜100万円くらいまで幅があります。初出展でいきなり高額展示会にチャレンジするのはリスキーなので、まずは地元の出展料が安い展示会からはじめるとよいでしょう。その場合は０円〜10万円くらいまでで出展できます。

②チラシ・会社案内・カタログ等、配布資料制作・印刷

配布資料の制作に関してはプロにデザインを依頼するかどうかでまったく費用は変わってきます。デザインを全て自社で行い、ネット印刷を使用すれば１万円以内で配布資料を全て揃えることも可能です。

デザインはかっこよくするためにあるというよりも、情報を正しくわかりやすく伝えるためにあるのです。原稿は自分で作るとしてプロにデザインを整えてもらうことで、格段に配布資料の伝達力は上がります。プロにお願いする場合は、デザイナーによって値段はまったく違うので、ここに相場を書くのは難しいですが、予算のなかで目的を叶えてくれるデザイナーを探すことも必要です。

それから配布資料に使用する写真がない場合は撮影をする必要があります。写真の良し悪しで受ける印象は全く変わってくるので、展示会を機にプロに依頼し撮影をする企業も結構あります。その場合はカメラマンやスタジオへの支払いが発生します。

③ブース装飾制作

ブース装飾でお金がかかるのは壁面です。

右ページの画像は『メッセナゴヤ』のブースです。面積は３ｍ×３ｍですが、手前１ｍ分は仕切りパネルがないので、合計７ｍ分の壁面があります。この壁面を全て埋めなければいけないという決まりはないのですが、白い部分を残せば残すほど「手抜き感」が出てしまい、寂しい印象になります。例えばこの７ｍ分の壁面をＡ０（ゼ

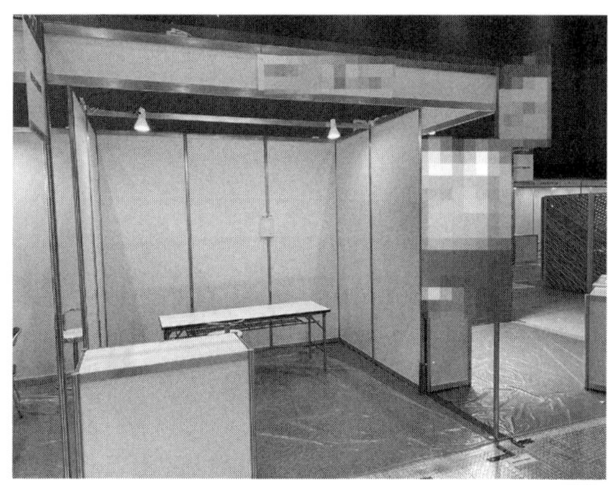
空のブース（メッセナゴヤ 2023）

ロ）のポスター7枚で埋めるとしたら、出力だけだと1枚3,000円くらいなので、合計2万円くらいが壁面装飾費になります。

展活でおすすめしているタペストリーで壁面全体を覆うような施工をするとすれば、1枚30,000円ほどの制作費がかかってきますので、壁面装飾費は20万円ほどになります。

メッセナゴヤはたまたま手前1m分の仕切り板がありませんが、他の展示会はあるところが多いので、その分2枚追加。そして社名版部分のパラペットにもキャッチコピーを掲げた幕を作りたい、テーブルクロスも作りたいとなってくると、全部で30万円くらいかかってしまいます。最初こそまとまった金額がかかりますが、2回目からは使いまわせるので、そのあたりも考慮して経費をどう使うのかを考える必要があります。

④ブース展示品

すでにある商品を展示する場合は0円ですが、展示会のために展示品を制作する場合は材料費と制作費がかかります。これにも予算が必要です。

⑤ブース備品

展示に必要なブース備品として皆さんがよく購入されるものは、

・カタログスタンド
・ポップスタンド
・展示台
・ディスプレイグッズ（アクリルボックスなど）
・揃いのポロシャツやスタッフジャンパーなどの衣装類、等々

これらは必要に応じて購入するものなので、いらないところはいらないですし、ここに結構な予算をかけられるところもあります。

⑥搬入・搬出

自社の車で搬入搬出する場合は０円と考えるのか、それにかかるガソリン代や人件費を経費と考えるのかは会社によって考えが分かれると思います。ジットボックスや宅配便などの配送サービスを使用する場合はその代金がかかります。

⑦宿泊費・交通費

地元の展示会の場合は０円ですが、地方の中小企業が東京の展示会に出展する場合は１人当たりすぐに 10 万円を超えてくることもあります。なので１回目は地元の展示会に出展されることをおすすめします。

このように「ざっくりいくらかかるのか」という質問に答えることは難しいのですが、中小企業の初出展は大体 50 ～ 60 万円くらいの予算で行われることが多い、というのを１つの目安としていただければと思います。

また費用については、2023 年現在の相場で紹介していますので、時代で変動することがありますことをご承知ください。

知らないと損する?
展示会にかかる費用を安くする方法

展示会経験がなかったり少ないときは、出展にどれくらい効果があるのかわからないのですから、極力お金をかけずに出展をしたいですよね。

①地方自治体の展示会補助金を活用する

地方自治体によっては中小企業支援策として展示会補助金があり、申請すれば補助金をもらえるところがあります。例えば愛知県碧南市にはこんな補助金があります。

出展料補助金：出展料（小間料）、小間装飾費、運搬費、通訳に係る費用
補　助　率：補助対象経費の総額の2分の1以内
上　限　額：50万円（同一年度で上限を超えない場合は、複数回申請することができます）

つまり出展料と装飾費と運搬費の合計が100万円かかったとしたら50万円は補助してもらえるわけです。ぜひ一度「○○市　展示会　補助金」等のキーワードで探してみてください。ただ、すべての自治体がこのような補助金を持っているわけではありません。碧南市の例はかなり手厚いです。

②展示会に使える補助金

中小企業に人気の補助金、例えばものづくり補助金、事業再構築補助金、小規模事業者持続者補助金などは、展示会にかかる経費にも使えます。その時々により補助率は変わります。

③合同出展や支援機関の出展枠

合同出展に参加することで無料や安価で出展することが可能にな

ります。○○県ブース、○○市ブース、○○商工会議所ブースなどが主要展示会にはたくさん並びます。事業所がある自治体や所属する商工会議所、商工会などが合同出展を行っていないか、一度探してみてください。また支援機関が出展枠を持っていることがあります。これもこまめに支援機関からの案内をチェックしておくことで、お得な出展方法が見つかることがあります。

④そもそも出展料が無料の展示会に出展する

そもそも出展料が無料の展示会に出展する、という方法もあります。例えば『新ものづくり・新サービス展』『あいちものづくりEXPO』などは、補助金を活用した企業の発表の場という位置づけですが、無料で出展できます。2023年に出展社説明会の展示会セミナーを担当させていただいた『たま未来・産業フェア』は、出展料が無料でした。ローカル展示会の中にはこのように無料で出展できるものがたまにあります。

なにがなんでも、とにかく安く済ませるという考え方にはあまり賛同できませんが、使えるものは上手く使って、かけるべきところにお金をかけていけたらいいですね。

手間をかければ節約でき、逆もまたしかり

展示会でもそれ以外の仕事でも、いえ仕事以外でも全てにおいて言えることだとは思いますが、経費を節約しようと思えば手間＝時間がかかります。手間＝時間を省こうとするとどうしてもお金がかかります。

例えば展示会でよく展示台として使われる会議テーブル。これは運営会社からレンタルすると大体2,000円〜3,000円。購入するとしたら定価でも6,000円程度。アウトレットや中古で上手く買

うと3,000円程度で買えてしまうので２～３回使えば確実に元はとれます。ただ展示会のたびに自社の車で会議テーブルを搬入するというのは結構な手間です。ジットボックス等を活用するとしてもジットボックスに積む手間はかかります。運営会社からレンタルすると当日、ブース内に会議テーブルが届いた状態になっています。これはラクです。

ブースに敷くカーペットは業者さんにお願いすると３ｍ×３ｍの１小間ブースで大体２万円くらいかかりますが、購入して持ち込むと１万円弱で済みます。カーペットに関しては圧倒的に持ち込んだほうが安いです。ただ手間はかかります。そして見た目的にもやはりプロに施工してもらったほうが美しいです。それから補助金を活用する場合、レンタルは認められるけど購入備品は対象とならない、などの決まりもあるので注意が必要です。

ですので、これについては私から「こうしたほうがいいですよ」となかなか言えません。どちらをとるかは社長さんの価値観やどれだけ人手を出せるかなどの社内事情によると思います。そのあたりを総合的に考慮しつつ、いろいろな方法を試して、自社に合うやり方を探っていかれるのがいいかと思います。

テーブルクロスは1つ2役の優れもの

中小企業の展示会ブースでは、展示台として会議テーブルを使うことが多いです。会議テーブルに直接展示品を並べてしまうと見た目が良くないので、運営側が白布を用意してくれることもあります。しかし、次ページの写真のように、白布よりも自社オリジナルのテーブルクロスを使用されたほうが、更に見た目は良くなります。

なぜテーブルクロスを作ったのか？　単純に見た目を良くする以

蒲郡製作所のテーブルクロス

外にも色々と良いことがあり、使い勝手が良いからです。具体的に説明しましょう。

①自社オリジナルの展示台風になる

会議テーブルにジャストサイズのボックス型のテーブルクロスを作ることで、ただの会議テーブルが自社オリジナルの展示台風になります。背面のタペストリーやチラシと色を合わせるとブース全体に統一感が生まれ、伝達力が増します。

②ストックスペースの目隠しになる

展示会ブースのストックスペース＝荷物置き場は、展示台の下しかありません。なので展示台として使用する会議テーブルの下に予備のチラシやノベルティ、個人のカバンなどを収納するのですが、ボックス型のテーブルクロスはこれらのゴチャゴチャした部分の目隠しとしても機能します。

③おすすめサイズ・生地・デザイン

一番使い勝手の良いサイズは、幅1,800㎜×奥行600㎜×高さ700㎜のテーブルに合うサイズです。生地はトロマットという素材がおすすめ。デザインはあまり凝る必要はありません。基本的に腰から下は来場者の視界に入らないので、ブース全体の統一感が出せればオッケー。テーブルクロスには会社名とロゴが印刷されていればば十分です。そのようなシンプルなデザインのほうが採用ブースでも転用でき便利です。「テーブルクロス　制作」などのキーワードで調べると制作してくれる業者さんのサイトが出てきます。かかる予算は大体４万円程度。安いものではないので、初回はブースカラーの布地を手芸店で買ってきて使用するのもありです。

ただその際は「防炎」に注意してください。基本的に展示会会場に持ち込む布地類は、防炎加工されているものと規定されているところが多いです。社名入りのテーブルクロスを１枚持っておくと、何かと便利なので展示会活用企業さんはぜひ作ってくださいね。

模擬ブースのススメ

出展のできれば１ヵ月前に、ぜひともやっておいてほしいことがあります。それは社内に模擬ブースを組んでいただくことです。工場のすみっこでも、食堂でも、倉庫でも、もちろん社長室の一角でもよいので、空間を確保してください。一度、模擬ブースをやっておくことで様々なことが見えてきます。ポイントは下記のとおりです。

①寸法をきちんと測る

展示会によってブースのサイズは違います。３ｍ×３ｍが多いですが、奥行きが２ｍだったり、手前の仕切りパネルがあったりなかったり、高さも2,700 mmが多いですが、2,100 mmだったりもします。そのあたりの寸法をメジャーできちんと測り、養生テープで印をつけ、そのラインにそって展示を展開しましょう。

②壁面装飾用タペストリーは制作前にプロジェクターで確認

模擬ブースを出展の1ヵ月前にやっておいてほしい理由は、壁面用タペストリーのデザインを制作前に確認しておきたいからです。データができた時点できちんと高さを測った壁にプロジェクターを用いて投影し、ブースの奥行きと更に通路を挟んでも来場者から認識されるような文字の大きさや色使いになっているかを確認します。これをやっておくことで訴求力の高い壁面装飾が可能になり、作り直しという最悪のロスを防ぐことができます。

③問題解決を説明するための展示品が揃っているか

通路に沿うように展示台に見立てた会議テーブルを置き、そこに実際の展示品を並べてみます。展示品はただただ数を並べるのではなく、今回の出展コンセプトに合わせた「問題解決を説明するための展示品」を並べてください。もしこの問題解決を説明するには展示品が不足しているなと気づいても、1ヵ月前に模擬ブースをやっておけば、そこから作ることができます。

展示会で成果を出すために、出展の1ヵ月前に模擬ブースを組んでみることの重要性が伝わりましたでしょうか？

事例集を作ろう

展示会でぜひとも用意しておいていただきたいものが「事例集」です。ここで言う事例集は不特定多数に見せる事例ではなく、ブースに来られたお客さんと1対1でお話する際にお見せするものを指します。事例集はこんな構成で作られるといいと思います。

> お客さんの困りごと → 提案（画像）→ 困りごとはどうなったか → 値段。

この４つの流れを出せれば理想的です。事例集があることで具体的な商談につながりやすくなります。

形式はファイル形式をおすすめします。ちょうど見開きで上の４つの流れがわかるような作りだと、説明するほうもされるほうにとっても使い勝手がいいですね。例えばチラシやブースの掲示物に載せる事例だと、不特定多数に見せる事例なので、詳細は出せないこともありますよね。

しかしブースに来られたお客さんに１対１で見せる事例であれば、実際の写真を使ったり、実際にかかった金額も出していいと思います。件数は業種・商材によるので何ともいえませんが、予想できる相談事を思い描き10件くらい用意しておけば、似たケースで説明できるのではないでしょうか。

事例は展示会においてチラシ、ブース掲示物、動画などいろんな場面で使用しますが、その使用する場面によって、どこまで見せられるかが変わってきます。上手く使い分けてより具体的な商談から成約につながるような展示会を作っていきましょう。

「残念名刺」を配っていませんか？

B to Bの展示会では名刺交換がとても重要です。いかに本当に求めている層のお客さんにブースに立ち寄っていただき、その方の名刺を頂戴し、いずれはお客さんになっていただくことが目的で出展をするわけです。そのためにブース装飾や配布チラシ・ポップ等のデザインを一生懸命考えて作っていくわけですが、そこでもう一歩踏み込んでいただきたいのが名刺なのです。あなたが展示会に持っていこうとしている名刺は「残念名刺」じゃないかどうか、今一度確認をしましょう。

①最も残念な例

例えば「(株) 大島商会　代表取締役　大島節子」などの名刺。キャッチコピーもなにもなし。これが一番ダメです。何屋なのかもわかりません。これでは持って帰った名刺から誰だったのか思い出してもらうことは困難です。

②よくある残念な例

例えば「大島メッキ」など会社名から少なくとも何屋なのかがわかる例。それでもそれだけではどんなメッキ屋なのかはわかりません。

③良い例

良い例は、例えば「亜鉛メッキのエキスパート」など、その展示会に出展した技術や特徴が書いてある名刺。これだとお客さんが会社に帰ってから名刺を見られたときに「あ、あのメッキさんか」と思い出してもらえます。

④更に良い例

もっと良い例は、そこに問題解決型のキャッチコピーが掲載されていること。更にその名刺の色使いやフォントをチラシやブースと連動させておく。ここまでやると思い出してもらえる展示会用名刺として完璧といえます。

展示会ではブース装飾や配布チラシなどは、どちらにしても作っていくことになるので、その際についでと言ってはなんですが、名刺も展示会に合わせたものを作っておくといいですね。少なくとも何屋かわからないような名刺で展示会に参加するのはやめておきたいものです。

集客は開催者まかせ？

展示会で成果を出される企業は、集客を開催側に任せっぱなしにはしません。展示会がはじまったときには決まっている、とおっしゃる方はよくいらっしゃいます。展示会がはじまったときには終わっている、とまでおっしゃる方もいらっしゃいます。それくらい大切なのが事前集客です。この項では事前集客について書いていきます。

◎紙媒体での集客

初出展の場合は事前集客をしようにもリストがない、という状態ですよね。「伝えたいお客さん」が明確になっていればその業界のリストを業者から買う、というのも１つの方法です。そこまでするのはちょっと、という場合は既存客、今までホームページから問い合わせがあったものの、受注には至らなかったお客さんなど、既にあるリストを活用しましょう。出展目的を明確にする過程で具体的な会社名が挙がったのであれば、それらもリスト化します。出展が２回目以降になれば、前回の展示会に来てくださったお客さんの中から需要がありそうな方をリストに加えます。

ニュースレターを定期的に発行されている企業であれば、展示会出展情報を載せることで集客につながります。ニュースレターに招待状を同封して送る、または招待状を簡単に請求できるような申し込みフォームを用意するといいですね。招待状を送る際は展示会用チラシを同封することで、展示会が始まる前から営業活動をはじめることができます。展示会に来られない方にも宣伝効果があります。

そのためにも遅くともチラシは出展の１ヵ月前に出来上がっている必要があるのです。伝達力の高いチラシを同封することで展示会前から注文が来てしまった、という事例もあります。またそれ以外にブース位置がわかる資料を同封しましょう。ブース番号を記載するだけではなく、この一手間をかけることで誠意が伝わり、ブースに足を運んでいただける確率を上げることができます。

◎ウェブ媒体での集客

今の時代はやはり紙だけでなく、ウェブ媒体での集客も同時に進めていく必要があります。まずは自社のウェブサイト。トップページに「○月○日から□□展に出展します」というような情報を載せることは必須です。出展が確定した段階で掲載し、出展が終わったらその旨も報告するようにしましょう。メルマガを定期的に発行されているのであれば、メルマガに出展情報を掲載し招待状を請求していただけるように促します。ブログにももちろん書きましょう。ブログの場合は日ごろからきちんと更新され読者がいることが前提になります。告知があるときだけブログを書いてもあまり効果はありません。

日ごろからお役立ち情報を発信し続けているからこそ、たまにある告知に反応していただけるのです。ブログ同様、SNSからの集客もバカにできなくなってきています。ウェブを活用した事前集客が上手いと感じる企業は、このSNSの使い方が上手いです。どう上手いのかというと、展示会が出来ていく過程を見せるのが上手いのです。展示会に向けてこんな展示品を作っています、というような発信をして期待をあおっていきます。

SNSにアップしたことがきっかけで、コメントのやりとりで出展前に売れてしまう、というような事例もあります。SNSにアップした写真はあとでブログにまとめておくとそれは自社のウェブサイトの資産にもなります。

事前集客のポイントをまとめると、ニュースレターにせよメルマガにせよブログ・SNSにせよ、日ごろからお客さんとの関係性作りができているかどうかという点に行き着きます。その関係性作りのきっかけが展示会出展だったりするので、卵が先か鶏が先かみたいな話になってくるのですが。

ですので、初出展のときにはリストはほとんどないかもしれないけれど、できる範囲でやってみる。２回目からは初出展の際にブースにお越しいただいた方がリストに加わります。また日ごろからリストを意識して行動することでリストは増えます。なので出展回数が増えるほど効果的な方法を取ることができ、自社の集客力は上がっていきます。まずはできることからやってみましょう。

公式サイトの出展社情報はあなどれない

ほとんどの展示会の公式サイトには出展社検索機能があります。会社名、製品名、サービス名、住所などでキーワード検索ができるようになっています。目的を持って展示会に来場される方ほど、あらかじめこの検索機能を使って求めている製品や技術・サービスを持つ企業を探し、リスト化して訪問プランを立てた上でブースをまわっています。

特にコロナ禍を経てオンライン展示会のプラットフォームが開発されたことにより、動画を載せられるようになったり、オンライン名刺交換機能を持つようになったり、きちんと活用すればかなり便利な機能が付きました。それなのに、いまだに公式サイトへの登録をないがしろにしている出展社は意外と多いです。キャッチコピーや製品説明が適当だったり、写真がなかったり、そもそも登録していなかったり！これはもしかしたらすごいチャンスを逃しているのかもしれませんよ！ドキっとされた方はいますぐ登録情報を確認してください。

この出展社情報も「問題解決型」で書くことがポイントです。「○○できます！」「○○できます！」を羅列するのではなく、誰のどんなお悩みを解決できる製品・技術・サービスなのかがわかるように書くこと。あとは説明欄に検索してほしいワードを盛り込んだ文章を書くこともポイントです。公式サイトの出展社情報には的確な情報を載せ検索されるようにすることは、出会いたいお客さんと出会うための大切な一歩です。決して適当に済まさないでくださいね！

映画プロモーションを参考にしてみよう

もしあなたが映画好きなら、展示会にまつわる告知活動を映画のプロモーションだと思えば楽しくなるかもしれません。ウェブ、特にSNSとブログを使えば中小企業でもお金をかけずにできますよ。具体的に書いていきましょう。

①この展示会に出展します！

まず半年前くらいに展示会に出展申込みをしますよね。これは映画の製作発表にあたります。なので「今年は○○展に出展します！」とまずは宣言記事をブログに書き、SNSで拡散します。

②今回は○○を出展！

２〜３ヵ月前くらいには出展内容が決まっていてほしいところ。それくらいの時期に「今回は△△を出展します！」という記事を書きます。これは映画のキャスト発表にあたるので、今回は誰々が担当します、と展示会の担当者発表記事を書くのもアリですね。

③模擬ブースができました！

１ヵ月前くらいにぜひ社内に模擬ブースを作っていただきたいのですが、せっかくなのでこれも記事にしましょう。これは映画の公開前にワイドショーなどでメイキング映像が小出しされることにあたります。

④招待状を送る

１ヵ月前くらいに展示会の招待状を送りましょう。出展品の良さがわかるチラシを同封することで、映画でいうところのコマーシャルの役割を果たしてくれます。

⑤現在、設営中。いよいよ明日です！

本番の前日に会場で設営している様子もぜひアップしましょう。人はがんばっている人を応援したくなるものなので、先の模擬ブースと同じく、メイキング映像を小出しにしていくことで期待を高め、「行ってみようかな」と思ってもらえるのです。

⑥展示会がはじまりました！

初日の開始時間くらいに完成したブースをアップしましょう。これは映画初日の舞台挨拶にあたります。見た人の何割かから「せっかくだし、行ってみようかな」と思ってもらえることでしょう。

⑦大盛況です！

ブースに人だかりができているタイミングを狙って写真を撮ってアップします。人だかりができなければ、知り合いに頼んででもにぎわっている様子を撮っておきましょう。「こんなにたくさんの人が見に行っているってことは行かなくちゃ！」と思ってもらえます。これは映画の大ヒット御礼 CM にあたります。

⑧ご来場御礼

映画館ではつい映画グッスやパンフレットを買ってしまいますよね。そういった「お土産」にあたるものも用意しておくといいです。ノベルティですね。あとこれは映画だと何にあたるのかよくわかりませんが、出展後はなるべく早くお礼状を出したいので、お礼状はあらかじめ用意しておいて、ブースで話した内容を忘れないうちに書いて出したいですね。

⑨ご来場いただいた方だけの特典

映画は上映後DVDを発売し、もう一儲けしますが、初動販売数を上げるために初回特典映像がついています。これもぜひ展示会にとりいれましょう。例えばご来場いただいた方にだけ「無料診断」とか「工場見学にご招待」とかできることでいいので、特別感を得られるような特典を作れるといいですね。

そして発注をいたただいた方には定期的な訪問でフォロー。発注には至らないけれども見込み客リストに入れた方には、メルマガやニュースレターでフォローし、次回出展の案内は必ず送るようにして顧客化を目指します。

いかがでしょうか。映画プロモーションにあてはめると、展示会前後の発信も楽しくなりそうじゃないですか？！　良かったら自社に置き換えて考えてみてください。

既存客に展示会案内を送る意味

以前セミナーでこのような質問を受けました。「展示会の案内を既存客に送る理由は何ですか？　展示会は新規顧客との出会いの場ではないのですか？」というものです。もちろん展示会は新規顧客との出会いの場です。しかし既存客に案内を送ることも大切なのですよね。例えば実際にこんな「うれしいこと」が起こりました。

①長く取引がなかったお客様との再会のきっかけ

社歴が長い企業でよくあるのが「休眠客」への効果です。しばらく取引がなかったお客様へのアプローチというものは、何かきっかけがないとなかなか難しいですよね？　そんなときに良いきっかけになるのが展示会です。中には展示会の案内を送ったことがきっかけで30年ぶりに取引が復活した、なんて驚きの事例も聞いたことがあります。

②「そんなこともできるの？！」を知ってもらうきっかけ

お客さまは普段、注文している製品やサービスメニューのことはご存じでも、それ以外にも色々できる、ということを案外ご存じないものです。例えば普段は機器のメンテナンス依頼で長年お付き合いがあったお客さまに展示会案内を送ったところ、展示会ブースにお越しくださり、「エンジニアリングもできるの？」と他のサービスメニューを知っていただくきっかけになった、という事例があります。

お客さんも業界の動向や情報などには興味をお持ちのはず。既存客に展示会の案内を送ることは情報提供であって、決して強引な売込みではありません。ただ、展示会の招待状だけを大量に送るというやり方よりも、例えば、

・出展製品のチラシを同封する
・半年に一度発行しているニュースレターと共に送る
・その方に向けたメッセージを添える

など、ひと手間かけたいものです。そして展示会に来てくださったお客さまには忘れられないように、こちらから定期的に情報発信をし、信頼関係を深めていきたいですね。その先にきっと「本当にやりたかった仕事」が待っているはずです。

搬入・搬出をラクにするサービス

展示会に必要な展示物や備品の輸送はどのようにされていますか？　一番多いのはやはり自社の車で運ぶというかたちでしょうか。実は展示会やイベントに特化した輸送サービスがあります。その名は「JITBOX チャーター便」。サービスの流れは下記のとおり。

1．展示会前に会社に空のボックス（カゴ台車）が届く

2．展示品や備品を詰める
3．展示会搬入日にブースまで荷物の詰まったボックスが届く
4．展示会終了後はブースまで空のボックスが届く
5．数日後、会社まで荷物の詰まったボックスが届く

このサービスの何が良いのかと言えば、自社便で搬入・搬出する際の大行列を回避できることですよね。搬入はともかく搬出時は一斉になるので、非常に混雑します。それがこのサービスを使うことでブースまで空のボックスが届くので、荷物を詰めてしまえばすぐに帰れるというわけです。

気になる料金ですが、2023年12月末時点で大阪市から東京ビッグサイトまでは24,310円。往復だとおよそ5万円です。自社の車で行った場合の高速代＋ガソリン代より少し高い設定ですね。絶妙な値付けです。自社の車で行く場合はスタッフも一緒に乗れますから、人間が移動する分の交通費が差額になる感じですね。一度利用してその便利さを知ってしまうともう自社便には戻れないとおっしゃる方も多いです。決して安いサービスではありませんが、展示会終了後に行列で待ったり、長距離運転をして帰る労力などを総合的に考えて導入を検討してみてください。

展示会備品リストの作成と更新の重要性

展示会当日は自社の車で搬入するにせよ、JITBOXなどのサービスを使うにせよ、展示会で必要な備品は、あらかじめリストにしておく必要があります。意外と小さいブースでも持っていくべきものを書き出してみるとあっという間に20～30項目になります。とても覚えられません。

なので、展示会前のミーティング時などに必要なものをあげておき、リストを作成し搬入日前日の積込時は、リストをチェックしな

がら1つずつ積み忘れがないか点検をしましょう。事前にリストを作成していても、初出展の時などは、特に何かしら現場で「あ！あれも必要だった！」と気づくものです。地元の展示会であれば、搬入日に気づいた忘れ物を初日の朝に持って行くことができます。

そして気づいた忘れ物は、必ずリストに追記して更新し共有するようにします。そうしておくことで、東京など地元以外の地域で出展する際や海外で出展する際など、忘れ物を取りに帰れない環境のときでも、万全の体制で展示会をはじめることができます。

第5章

お客さまが解決したい問題を引き出す接客術

接客をしたことがなくても大丈夫！
接客のポイント

ここからは当日の話に入っていきます。展示会において接客は重要ですが、中小企業の初出展の場合、生まれてこのかた接客などしたことがない、というような人がブースに立つこともありますよね。ここから書いていく接客のポイントはそんな接客に不慣れな方におすすめのやり方です。

Step.1

まず大前提として、ガツガツ呼び込まなければならないという先入観をお持ちで、そのことがプレッシャーになっているようであれば、それは捨てても大丈夫です。展示会来場者全てを接客しなければいけないわけではありません。自社のブース展示内容に興味を持ってくださった方を接客すればよいのです。

本人にそのつもりはなくても緊張していると、お客さんをにらんでいるように見えてしまったりするので、お客さんを威嚇するような立ち位置はとらず、ブースの中にいても少し目線はそらしておくようにします。ブース位置的に可能であれば、ブースの外からお客さんを観察できるような場所に立つと良いですね。まずはお客さんの目線をさえぎらない場所に立つこと、これが1つ目のポイントです。ただ、このいわば「待ちの営業」を可能にするためには伝達力が高いブースであることが大前提です。

Step.2

お客さんがブースの展示品や説明文に興味を示していらっしゃるな、と感じたらチラシを渡します。これが最初の接触です。最初の接触をスムーズにはじめられる、という意味で1枚もののチラシは使えます。会社案内や製品カタログではなく1枚もののチラシであることがポイントです。

Step.3

最初の声かけとしておすすめの一言があります。それは「何か目にとまりましたか？」です。この質問をすることでお客さんの分類ができます。例えば「ブースのレイアウトが目立っていたので」とかだとただの見学である可能性が高く、「ちょうどこういう加工ができるところを探してまして」というのであれば見込み客である可能性が高いので、次のステップに入っていきます。

Step.4

見込み客である可能性が高いお客さんだとわかったら、そこからは大切なことは聞くことです。技術力が高い会社がやってしまいがちな失敗としてよくあるのが、いかに自社の技術がすばらしいのかを一方的にまくしたててしまう、というパターンです。これをやってしまうとお客さんは自社ブースの何に興味をひかれて立ち止まられたのか把握することもできません。まずは、なぜお客さんが自社の展示に興味をもたれたのか、その理由を聞くことが何よりも大切です。

Step.5

ここでようやく名刺交換です。名刺交換については次章で詳しく説明します。

聞くことはあらかじめ決めておく

展示会での失敗あるあるとして、自社の技術の高さを一方的に喋ってしまうことを挙げました。展示会では一方的に話すのではなく聞くことが大切です。では具体的にどのように聞けば良いのでしょうか。結論から言うと「接客内容記録シート」というものを作成いただき、見積を提出するために必要な項目を順番に聞き、聞いたことを記録できるよう準備をしておいていただきたいです。

接客内容記録シートとはA4サイズ1枚のプリントで、お客さんへの質問を順番に書いておきます。

1.（自社が扱う商品･技術･サービス）を使う機会はありますか？
2.（その商品・技術・サービス）に関する困りごとや悩みはありますか？
3. 現状どうしていますか？

と順番に質問を絞っていき、最終的に予算まで聞くことができれば、見積 → 受注と商談を進めていくことができます。

ポイントは、2つです。

・書きながら聞かないこと
・忘れないうちにメモできるように、できる限りチェックすれば良いだけの項目をあらかじめ書き出しておくことがポイントです。

書きながら聞いてしまうと、お客さんは調査されているような気分になり、早々に話を切り上げ、話してくれなくなりがちです。話を聞くときは、お客さんの顔を見てしっかりと聞き、終わってから用紙に書き込みます。

記録シートは接客目標人数よりも少し多く、例えば1日30人が目標で3日間の展示会だとすれば、90枚より少し多い100枚くらいをコピーしてブースにおいておきます。お客さんからは見えないところに置いてくださいね。

展示会は話す場所ではなく聞く場所です。そして上手に聞くためには準備が必要です。成果につながる聞き方ができる接客内容記録シートは、会社の財産になります。ぜひ展示会ごとに改善・修正を繰り返し、自社の「鉄板的な質問順」を構築してくださいね。

接客内容記録シートフォーマットは、ダウンロードできます。

（https://www.tenkatsu.net/dl/）

出展社プレゼンテーションには積極的に参加する

多くの展示会には「出展者プレゼンテーションコーナー」というものが設けてあり、立候補するとプレゼンができる仕組みを持っています。料金は無料から数万円。専門性の高い展示会になればなるほど料金は上がっていく傾向があります。出展社プレゼンテーションをやったほうがいいか、やらないほうがいいかでいうと、当然やったほうがいいです。

出展社プレゼンテーションをやることで更に展示会での伝達力が上がるからです。そのためにPower Pointでスライドを作るには手間がかかりますが、問題解決型展示会がすでにできているのであれば、チラシや動画の素材を並べるだけでスライドは作れます。大事なのは構成です。問題提起 → 解決策 → その根拠。この順番で話すこと。４章で説明した問題解決型プレゼンテーション動画の構成と同じで大丈夫です。

出展社プレゼンテーションは準備の手間がかかりますし、当日は緊張するとは思いますが、ブース出展だけよりも確実に伝達力は上がりますから、勇気を出してチャレンジしてください。

展示会では何を着ればいいですか？

展示会での服装、特に女性は何を着ればよいのでしょうか？

スーツ

やはり無難なのはスーツです。展示会はビジネスの出会いの場なので、ビジネスの正装＝スーツを着ておくと間違いはありません。

おそろいのポロシャツやスタッフジャンパー

展示会のテーマカラーに合わせて、おそろいのポロシャツやスタッフジャンパーを作られる企業も多いです。どちらかというとポロシャツのほうが出番は多いと思います。なぜなら展示会会場は冬でも結構暑いからです。私の体感では4月～11月はスタッフジャンパーでは暑いと思います。

作業着

ものづくり系の展示会では作業着を着ておられる方も多いです。一目で業種や専門分野が大体把握できるのがいいですね。あと動きやすいこと。気をつけたいのは「おろしたて」を着ること。油やペンキで汚れていたりシワがあったりする作業着は、ビジネス商談の場にはふさわしくありません。女性が作業着を着て接客をすることで「この人は技術の話をしても良い人だ」というメッセージにもなります。

◎覚えておきたいポイント「靴」

すぐに足が痛くなるような靴で、展示会に出ることは絶対にやめましょう！　なぜなら展示会は数日間の長期戦だということ、そして東京ビッグサイト・幕張メッセ・インテックス大阪などの大規模展示場はべらぼうに広いからです。駅からホールの端まで一直線に歩いたとしても20分くらいかかります。履きなれたペタンコ靴でも疲れるのに、オシャレを重視したハイヒールなどで立ちっぱなしでいると、脚の痛さで接客どころではなくなってしまいます。

「靴」を軸に考えるとスーツ縛りはあまり良くないですよね。スーツだとどうしても女性はパンストとパンプスを合わせないとバランスが悪くなるので。おそろいのポロシャツや作業着の場合はペタンコ靴でもおかしくないので、社長のポリシーで必ずスーツ！という決まりがないのであれば、私はおそろいのポロシャツや作業着での接客をおすすめします。

SNSと写真撮影

展示会は基本的には写真撮影は禁止です。しかし最近はブース単位で「写真撮影OK！SNSにアップしてくれた方にノベルティプレゼント！」など積極的にブース撮影を促す企業も増えてきました。影響力を持つ方にブース写真をアップしてもらうことは集客につながります。撮影禁止とするよりも、撮影されても良い展示もしくは撮影したくなるような展示を工夫し、SNSアップを推奨する。現代の展示会はこちらが主流になってきています。

貴名受は必要か？

貴名受は「きめいうけ」と読みます。展示会の来場者に名刺を入れてもらうための箱です。見たことがない方は病院の診察券入れを思い出してください。あれとほぼ同じ形状のものです。コロナ以前は、貴名受は必要ないと考えていました。

理由は貴名受の役割は名刺を保管するためと、ブース不在時に名刺を入れてもらう役割の２つで、名刺は貴名受で保管してはいけないし、ブースを不在にしてはいけないからです。今も基本的には同じように思ってはいるのですが、コロナを経て貴名受が必要な場面もある状況に何度も出会いました。出展を予定していた展示会をやむをえない事情でキャンセルすることになったものの、規定でブースは構えなければいけないと。であれば、資料を置いてご自由にお持ち帰りください、との案内をしようとなったとします。そういう時は貴名受が必要です。

おそらく新規のお客さまが貴名受に名刺を置いて行ってくださる可能性は低いですが、既存客や取引先など、関係性のあるお客さまが「来たよ」というメッセージを残すために入れてくださるのです。そういう方は貴名受に名刺を入れておいていただければ後日お礼ができます。
　またブースが大盛況の場合も必要だったりします。ブースにいる人が全員接客中で、それでも「来たよ」というメッセージだけは残しておきたい場合があります。そういう時に貴名受があると助かります。貴名受は購入すると大体3,000円ほどです。ものづくり企業さんは自作されるところもありますね。金属製でレーザー印字がほどこされたかっこいい貴名受を拝見したことがあります。

　ということで貴名受について以前はいらないと思っていましたが、コロナ以降はあったほうが良いと思っています。ずっと1つのことに関わっていると思いが変わることもあるということで、ご了承いただければ幸いです。

ブースの適正人数

　中小企業が展示会に出展する際は、3m×3mの1小間ブースが多いですが、1小間ブースに配置すべき適正人数は何人でしょうか？　結論から言うと3人が理想です。3人いたら順番に昼休憩も取れます。45分立って15分休むなど、疲れる前に休むローテーションを組んでおくと3日間の3日目でも、元気に接客できることでしょう。あまりないかもしれませんが、4人以上だとどうでしょうか？　1小間ブースに4人以上居てしまうとちょっと多すぎかな、と思います。展示品や掲示物を見たい人の妨げになりかねません。
　4人目の方は、例えばブースの向かいとかから来場者の動きを観察し、必要そうなときにヘルプに入るくらいがよいかと思います。積極的にチラシを配ったり声かけをしたりする担当と、質問がある方に詳しくお話できる担当で役割分担ができると良いですね。立ち位置は通路に立ち展示台の妨げにならないあたりに1～2人、ブースの中に1～2人でしょうか。状況を見ながらちょうど良い立ち位置を探っていくと良いと思います。

ワンオペ展示会は可能か？

展示会に初出展する際、様々な理由によって当日のすべての対応を１人でやる、いわば「ワンオペ展示会」は可能なのでしょうか？
結論から言うと可能は可能です。ただ大変です（笑）。食事やトイレはどうするのか、２組以上のお客さんが来てしまったらどうするのかなど、様々な問題があります。でもそのあたりの問題にできる範囲で対策を立てればやれないことはありません。

以下、具体的な対策をご紹介しましょう。

①バックヤードを作る

通常、展示会の１小間は３ｍ×３ｍというサイズが多いです。ブースの奥から１ｍの位置にタペストリーを設営し、奥１ｍ分をバックヤードにしてしまう、という方法があります。展示会運営事務局にお願いすると仕切りパネルの連結部に梁を追加してもらうことができます。展示会によって無料でやってくれたり、追加料金がかかったりします。追加料金がかかったとしても数千円程度です。

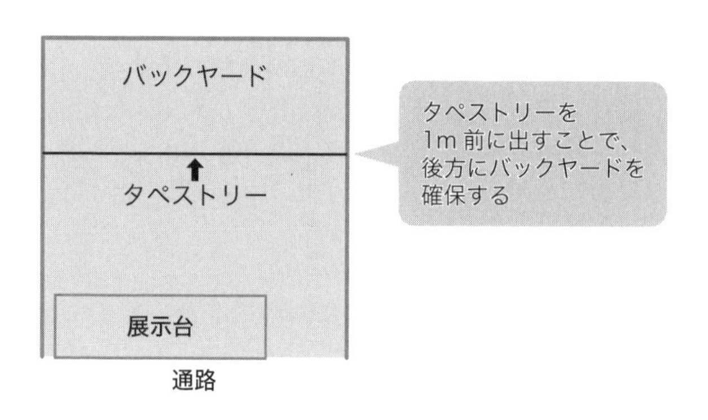

バッグヤードを確保できれば荷物置き場に使えるのはもちろん、おにぎりなどの簡単な食事をさっと済ませることができます。ただトイレに関してはタイミングを見て行くしかないですね。脱水症状を起こすと大変なので水分補給はきちんとしてください。

②動画を流す・取りやすい位置に資料を置く

２組以上のお客さんがいらしたときの対策としては、動画を流したり、取りやすい位置に資料を置いておくと、それを見たり読んだりしながらある程度は待っていただけます。

③合同出展なら安心

展示会には単独出展以外にも合同出展というやり方があります。よく○○県・○○市・○○商工会議所といったような集合ブースをみかけますよね？　合同出展だったら大抵は県や市や会議所の職員さんが何名かついてくださるので、食事やトイレの間くらいは臨時で対応を頼めます。

④辛かったらスタッフ派遣を検討

そのような対策をしたとしても、やはりワンオペ展示会は体力的に大変です。なのでスタッフ派遣を活用するという方法もあります。「地域名　展示会　派遣」などのキーワードで調べると、その地域の派遣会社が見つかるはずです。金額はピンキリですが、チラシを配る程度のスタッフであれば１日１万円台であります。

初出展では展示会でどれだけ成果に繋がるかわからないので、極力経費は抑えたいですよね。まずは１人でやってみて、費用対効果が出せそうだと見込みがつけば、スタッフ派遣を検討する、という順番がよいのではないでしょうか。

どうでもいい話を延々続けるお客さんの対応

展示会に関するお悩みで、たまに聞くのが「ブースに来られたお客さんが延々自分の話（往々にしてどうでもいい話）をやめず、他のお客さんの接客もできないし、こういう人の対応はどうしたらいいのでしょうか」というもの。専門展ではあまりないと思いますが、入場料無料のローカル総合展示会ではちょくちょくありますよね。これは正解のない問いかも知れませんが、私の経験から考えられる最善の対応策を書いてみようと思います。

①一旦、聞く

まずは一旦、聞いてみます。なぜなら最初のやりとりだけでは見込み客なのかどうかわからないからです。そして見込み客ではなかったとしても、人がいるところに人は集まりますから、まったく誰もいない暇そうなブースより誰かがブースにいるほうが、他の人も立ち寄りやすいからです。なのでどんなお客さんであれ、一旦、話を聞いてみることは必要です。

②見込み客かどうかを判断する

次に見込み客かどうかを判断する質問をします。これは予め「接客内容記録シート」を準備し、接客時に聞くことを決めておけば上手くいきます。例えば溶接技術を展示しているのであれば「溶接が必要になる機会はありますか？」などが見込み客かどうかを判断する質問です。その質問に明確な答えが返ってこなかったとしたら、ただの「時間どろぼう」の可能性が高いので次のステップへ。

③いよいよ最後の手段

どうでもいい話に終わりが見えず、他のお客さんもブースにいらしているのに対応できないような状況になってきたら、いよいよこの「時間どろぼう」の存在がうっとうしくなってきます。そこまできたらもう強制的に終わらせていいと思います。「ちょっと失礼」と他のお客さんに話しかけるとか、最終手段として鳴ってもいない携帯電話に出るフリをしてその人から離れるとか。

展示会はまだ知らない見込み客と出会い、その人と商談をするための場なので、それを犯す権利は誰にもありません。困ったお客さんに時間を取られ続ける必要はないと思います。

始まってしまった展示会でできる対策

すでに始まってしまった展示会でも、できる対策を考えてみましょう。

①ブースの視認性

要はどれだけブースが目立つか、ということです。お客さんの流れを見て掲示物の位置を入れ替えたり、他と比べてブースが暗いと感じたのであれば照明を追加しましょう。動画の音量は気持ち大きめで。隣近所にあらかじめ声をかけておけば騒音のトラブルは防げます。まずは来場者の目にとまらないことにははじまりません。

②展示物の伝達力

何を展示しているのか、がきちんと伝わっているかを確認すること。もし伝わっていないと感じたらポップを追加するなどして伝達力を上げてください。

③質問内容の見直しと記録

展示会は話す場ではなく聞く場です。来場者に何をどういう順番で質問すれば最終的に見積につながる接客ができるのかを見直しましょう。接客内容をきちんと残すことが大切です。

④アフターフォローを見越した名刺管理

交換した名刺は確率が高い順にランク分けして整理します。Ａランクのお客さまとはどのような会話を交わしたのか記録を残しておき、そこからアフターフォローを展開していきましょう。アフターフォローを見越した名刺管理をすることが成果につながります。

展示会ははじまってからも気づくことが多いので、できる範囲でやれる対策はやってください。

展示会での足の疲れを軽減する工夫

展示会で大変なことの１つに「足の疲れ」があります。普段、なかなか３〜４日立ちっぱなしで接客をするという機会はないですからね。理想は３人でローテーションを組むこと。45 分接客して 15 分休むなど、ローテーションを組んで接客にあたると、４日間の展示会でもわりと最終日まで元気に対応ができます。ただ、中小企業の事情としては３人も展示会に行ってしまったら会社が回らなくなったり、ローテーションを組むなんて不可能だったり、たとえ３人確保できたとしても疲れないわけではありません。なので、やれる工夫で対策をとりましょう。

①靴

前述したとおりですが、履きなれない革靴はどうやっても疲れます。特に女性は普段履きなれていない人がヒールのある靴を履くと、とても３〜４日立っていられません。これは「展示会ではスーツを着なければならない」という思いから来ているところもあります。社内ルールで決まっている場合はどうしようもありませんが、例えばおそろいのポロシャツを作るなどするとスーツ縛りはなくなるのでペタンコ靴で接客することができます。

②敷物

展示会会場の床はコンクリートです。そのままでは不細工なのでカーペットを敷かれる方が多いですが、カーペットのあるなしでも疲れは変わってきます。例えばこのようなグッズもあります。「疲労軽減マット」というゴム製のマットです。ネットで検索すると色々出てきます。主に工場や作業所での立ち仕事の現場で使用されるものらしいのですが、展示会で活用される企業さんもあります。足腰の疲れだけでなく冷えも軽減されるので、あるかないかでかなり疲れ方が違ってくるそうです。

③ヨガ

３日間とか４日間の展示会の疲れを、上手く克服しながら元気に乗り切るためにこれまで色々と試してきましたが、最近、効果を実感している方法は、夜寝る前に簡単なヨガをすることです。テレワークの時代になって以降、YouTube にはものすごい量のヨガ動画があることを知りました。「ヨガ　足の疲れ」等のキーワードで検索し動画を見ながら先生の真似をして呼吸を整え、身体を伸ばしてから眠るとぐっすりと眠れ、翌日身体がすごくラクなのを実感します。ビジネスホテルの狭い部屋でもベッド上のスペースがあれば十分なのもありがたいです。

３～４日の展示会は体力勝負なので、このようなやれる工夫やそもそも前日は飲み過ぎずに早く寝るとか、当日の夜はきちんと湯船につかるとか、疲労対策に配慮しながら元気に乗り切っていきたいですね。

商談席は必要か？

「ブース内に商談席を置いたほうがいいと言われたのですが、やはり商談席は必要でしょうか？」

この質問、結構よく聞かれます。私の経験から言いますと、製造業系の展示会で、それも初出展で商談席が活用される場面はほぼありません。大抵、スタッフの休憩スペースになります。そもそも初出展で３ｍ × ３ｍのブースに商談席まで置いてしまうとブースがものすごく狭くなってしまいませんか？　もちろん商談席を置いてもスペースをゆったりとれる６ｍブースで出展できるなら、そのほうが集客率は上がるので一番いいです。でも予算は当然倍かかります。50 万円で出展する予定が 100 万円になってしまいます。

商談席が活躍するのは１点ものの宝石など、その場で交渉を成立させてしまわないと商品を仕入れられないような業態の展示会です。製造業系では何度も出展していて、そのブースをめがけて図面を持ってきてくださるような「なじみ」がある企業の場合、商談席は活躍します。でも、初出展で製造業などＢ to Ｂ系の業態で３ｍブースに無理矢理商談席を作っても座っていただけることはほぼありません。もし運良く座って商談したほうが良さそうなお客さんがいらしたらラウンジなど「商談スペース」にご案内すればいいのではないでしょうか。

ですので経験上、初出展で３ｍブースに無理矢理商談席を置く必要はないと私は思います。何度か出展して「なじみ」もできて、６ｍブースで出展できるような余裕が出てきてから商談席を設置する、という感じでちょうどいいのでは、と考えています。

採用目的の展示会出展はアリ or ナシ？

展示会とは見込み客との出会いの場であり、展示会成功の定義は見込み客から成約を得ることである、と私のセミナーではお伝えしています。とはいえ展示会から得られるものは成約だけではありません。

成約以外にも得られるものの１つに「採用ができる(こともある)」

というのがあります。ローカル展示会に多いのですが、地元の学生さんを積極的に招致してくれる展示会があります。私が知るところだと、『メッセナゴヤ』は県内の大学３年生、『おかやまテクノロジー展(OTEX)』は県内の工業高校生がたくさん訪れます。『MEX 金沢』も学生さん向けのイベントを行っていました。

中小企業が慢性的にかかえる課題の１つに人材不足があります。良い人、特に若い人に入社してもらいたいけど、採用にはお金も労力もかかります。そんな中小企業の課題解決として、ローカル展示会の主催者が展示会に学生さんを招致するようになったのだと考えられます。なので、展示会の出展目的の１つに「採用」を置くこと自体はまったく構わないと思っています。実際、展活セミナーの参加企業さんからも、展示会で新卒採用に成功されたところも出ています。

ただ最近、気になっているのは、出展企業さんの中にあまりにも採用に寄りすぎたブースを構えるところが出始めたことです。展示会はあくまでもビジネスの出会いの場であるのに、明らかにリクルート目的のブースを作ってしまっては、本来の目的から外れてしまいます。そんなブースばかりになってしまうと、ビジネス色がどんどん薄れて、展示会自体の質が下がってしまうのではと懸念しています。

なので、見出しに掲げた「採用目的の展示会出展はアリ or ナシ？」に対する答えはアリです。ただ目的の１つに採用を置くのは OK だけれども、それが一番の目的になるのは違う、ということです。展示会で採用ができればラッキーですが、それはあくまでも裏目的で、本来の目的である見込み客が、目にとめるような展示を追求していただきたいと思います。

第6章

忘れられる前にコンタクト

名刺は5段階で分ける！

中小企業には中小企業に適した名刺の集め方があります。展示会見学に行った際、皆さんはこんな経験ありませんか？　ミニスカートをはいたコンパニオンさんに笑顔でボールペンなどのノベルティを差し出され反射的に受け取ろうとしたら「名刺と交換です♡」と有無を言わさず名刺を奪われる…。これを名刺狩りと呼びます。名刺狩りをすると1回の展示会で何百枚もの名刺を集めることができます。

ただ、中小企業にこのやり方はおすすめしません。名刺はただただ多く集めれば良いというわけではありません。多く集めすぎたために本当に必要な名刺が埋もれてしまう危険性すらあります。それよりも本当に立ち止まっていただきたい方に立ち止まっていただけるような伝達力の高いブースを作り、見込み客から名刺をいただけるような展示会にする、これが中小企業の目指すべきあり方だと思います。

名刺の分け方

集まった名刺はその場で分類をします。名刺は5段階に分けます。

SA：需要がありかつ緊急性があるお客さん

自社の製品・技術・サービスを必要としておられ、かつ納期が迫っている案件をもっておられる方はSAとします。即、見積書の提出を求められるなど具体的に話が進めることができるので、最優先での対応が必要です。

A：需要があるお客さん

自社の製品・技術・サービスをぜひとも採用していただきたいお客さん。展示会で一番出会いたいお客さんはこの層です。展示会終了後きちんとアポを取って訪問し、その後も丁寧にフォローをしていきましょう。具体的なフォローの方法はアフターフォローの項で詳しく書きます。

B：需要があるかもしれないお客さん

自社の製品・技術・サービスを使っていただけるかもしれないお客さん。数が多ければ訪問までする必要はないかもしれませんが、必要と感じたらここも訪問をしておきたいところ。その後のフォローも必要です。

C：お友達、知り合いなど

ＣとＤを分ける理由はお友達や知り合いは紹介につながる可能性があるからです。お金がかからないフォロー＝メルマガを定期的に送ったりしておくと、思わぬご縁につながることがあるので無視はできません。

D：売り込み

展示会で集まる名刺で、実際のところ一番多いのはこの売り込みだったりします（笑）。ただ売り込みの中から協力会社が見つかったりすることもあるので、ひとまとめにして無下にするのはよくありませんが、特にフォローの必要はありません。

名刺の分け方のポイントは、お客さんとお話した内容をすぐに記録することです。この記録がこの後のフォローのベースになります。前述した「接客内容記録シート」を用意しておくと良いですね。

無料サービスを活用しリスト作りを効率化

展示会でせっかく名刺交換をしたのに名刺がリスト化されておらず、活用できていない企業さんって結構いらっしゃいます。名刺は貯めてしまうと整理するのも面倒になり、デスクの隅に高く積み上げられていたりしませんか？　そんな方はぜひ無料の名刺管理サービス eight を使ってみてください。アプリを開き名刺を撮影すると名刺情報＝会社名、住所、名前、電話番号、メールアドレス等を一瞬でデータ化してくれます。有料プランにすると csv でダウンロードすることもできますが、無料プランでもデータ化はしてくれます。

無料サービスを活用して上手くいった例を紹介します。地方の企業が東京に出展されている際、東京に行っている人と会社に残っている人で同じアカウントを共有します。東京の人は名刺交換をするたびにアプリを立ち上げ名刺を撮影。会社の人は、展示会期間中は毎日更新データを確認し、データをコピー＆ペーストでエクセルに入力。

中小企業が展示会で１日に交換する名刺の総数は 30 枚程度なので、１日に１回とか２回とか会社に残っている人に、コピペタイムを取っていただくことはたいした手間ではありません。このようになるべく手間をかけずにリストを作成しデータを残すことが展示会のアフターフォローでは重要なポイントになります。

お礼状、メールとハガキそれぞれの効果

「展示会後は見込み客にお礼状を出しましょう」とお礼ハガキの事例を紹介すると、必ず「ハガキじゃなくちゃダメなんですか？　メールじゃダメですか？」という質問を受けます。お客さんの中にはメールを好む方とハガキを好む方がいらっしゃいます。メールを好む方は合理的な方です。展示会からしばらく時間が経って会社名をぼんやりとしか思い出せなくてもメールであればキーワード検索で探し出すことが可能です。なので合理的な性格の方はメールを好まれます。

一方でハガキを好む方もいらっしゃいます。それは情の深い方で

す。展示会に出展した商品やサービスをとても気に入り、リピーターになってくださるような方は情が厚い方である可能性が高いです。展示会で一度話しただけでは、どちらの方なのかはわかりません。なので可能であれば展示会直後にメール、1週間〜10日以内を目安にハガキを送ることができれば一番良いです。それが難しければどちらかでもやる。何もしないというのが一番よくないです。

樹脂試作のサントー試作モデル㈱の事例

展示会に出展したもののアフターフォローがうまくできない、という声をよく聞きます。アフターフォローというと、ガンガン電話営業をしてからの訪問営業、みたいなイメージを持っている方もいらっしゃるかもしれませんが、その前にやるべき第一歩、ファーストステップがあります。それはお礼状を送ることです。

以前、サントー試作モデルの会社から届いた、お礼状をご紹介します。

参考になる、良いポイントはいくつかあります。

①出展後1週間以内に届いたこと

出展後にお礼状を出すのであれば、なるべく1週間以内を目標に、お客さんの記憶が新しいうちに出すようにしましょう。

サントー試作モデルのお礼状

THANK YOU

先日の産創館での金属加工技術展に
御来場いただきまして、
誠ににありがとうございました

サントー試作モデル株式会社は
樹脂とアルミ真鍮などの試作製作のメーカーです
試作品製作のお問い合わせがございましたら
お気軽にお問い合わせください

今後とも末永いお付き合いをいただけますよう
どうぞよろしくお願いいたします

サントー試作モデル株式会社
〒578-0944
大阪府東大阪市若江西新町1-5-26
TEL 06-6721-9064
FAX 06-6721-6431

お忙しい中、御来場いただき嬉しかったです。
サポートいただき、ありがとうございました。

②ブースの写真を入れていること

お礼状にブースの写真を入れると、思い出していただきやすくなります。

③手書きのメッセージが入っていること

手間はかかりますが、手書きのメッセージは効果的です。こういったひと手間が心に刺さるタイプの人は情が厚い人です。一度、気に入っていただけると長年にわたってリピーター・優良顧客になっていただけます。

テレアポのタイミングとコツ

展示会後のテレアポは、お礼状が届いたころにかけると効果的です。「ハガキは届きましたでしょうか」が、会話の糸口になります。展示会直後のテレアポは通常の電話営業とは違い、担当者までつないでもらえる確率がかなり高いです。迷惑な営業電話として邪険に扱われることもあまりありません。逆に言うと展示会から時間が空けばあくほど担当者までつながる確率は下がっていきます。なので展示会後は勇気を出してテレアポをしてみてください。前述のリストのSAとAはかけるようにして、Bに関してはかけたほうがいいと判断した場合はかける、で良いかと思います。展示会ブースでの接客記録を元に会話を広げてみてください。

訪問時に気をつけること

テレアポがスムーズに進み訪問のアポが取れたら、最初は緊張するとは思いますが、これも勇気を出してお客さんと会ってきてください。展示会ブースやテレアポ時の会話で聞き出したお客さんの課題に対する提案を持っていけたら一番良いです。その場ですべてのお客さんの課題を解決できなくても、一度会社訪問をするという経験からは色々学べます。展示会では聞き出せなかったような別件の案件が見つかったりもします。訪問して資料を残してくると忘れたころにお客さまの方から連絡をいただけることもあります。

オンライン相談・打合せで失敗しないために

コロナ禍以降、訪問ではなくオンラインでの相談や打合せを希望されるお客さまも増えました。オンラインでの商談・打合せで気を付けておきたいことを確認しておきましょう。

①視線は平行に

カメラの位置が視線と平行になるように調整をしてください。ノートパソコンのカメラを使用する場合は大抵目線よりも下にカメラが来てしまいます。そんなときはノートパソコン自体を箱か何かに乗せてかさ上げし、カメラと目線の高さが合うように調整をしてください。

②会議ツールに慣れておく

コロナ禍初期はオンライン会議ツールに慣れている人の方が少なくて、毎回音声トラブルや回線トラブルがありましたが、最近は少なくなってきました。もしまだ会議ツールの扱いに不安がある人は機会を見つけて社内で練習をしておいてください。Zoomを使用される方が多いですが、組織によってはZoomが使えないルールがあったりもするので、Zoom以外にもMicrosoft Teams等にも慣れておくとより安心です。

③顔を明るく

オンライン会議の際に顔に影ができると相手に暗い印象を与えてしまいます。上部からの照明しかない部屋で起こりがちです。それを解消するのが女優ライトです。照れずに女優ライトを活用してください。女優ライトは自分を美しく見せるためにあるのではありません。相手に好印象を与え、ビジネスを円滑に進めるためにあるのです。ただあまりにも光量を上げてしまうと白すぎる顔になってしまうので、まずは信頼できる方に確認してもらいながら、最適な光量を探ってみてください。

④大きなサイズの製品 → 画面共有を活用

オンライン会議では、製品を手に持てるサイズの場合はカメラに近づけて細部を見せることで、肉眼で見るよりも、より加工の精巧さが伝わることもあります。ただ手に持てるサイズの製品を扱っておられない企業の方が多いと思うので、そんなときは画面共有を活用してください。自分が見えている画面と相手が見えている画面が異なることがあるので、画面を変えるたびに見えているか確認が必要です。画面共有でお互いに同じ資料を見ながら会話できるのがオンライン打合せの良いところです。上手に活用してください。

ウェブサイトを整えておく

展示会に出展すると、ウェブサイトのアクセス数が上がります。それだけ展示会で出会って気になった企業があると、来場者はウェブサイトを見に来る、ということです。一番良いのは展示会の出展コンセプトとウェブサイトの掲載情報が一致していることです。「アルミ精密加工の困りごと解決」をコンセプトに展示会に出展したのであれば、ウェブサイトにもそういった内容が掲載されていてほしいです。

本業とは別に新事業として出展をするのであれば、今ある本業のサイトとは別に新事業のサイトを作りたいところです。ただまだ開発段階で変更の可能性がある場合などは、お金をかけてしっかりしたサイトを作るわけにもいかないですよね。そんなときはペライチという無料のサービスを使って、とりあえずランディングページだけ作成する、という方法があります。

愛知県一宮市のマルハチ工業㈱は、『メッセナゴヤ 2022』に出展し、新ブランド「REBON PROJECT」の第１弾商品「トイレットペーパーいたずら防止装置 TOMECO」のマーケティングを行いました。

ペライチで作成されたマルハチ工業のランディングページ

まだ開発段階の商品で、この商品のニーズを探るための出展だったため、ランディングページのみペライチで作成。

https://peraichi.com/landing_pages/view/tomeco08/

無料でウェブサイトを作る方法は、ペライチ以外にもいくつかあります。Wix 、jimdo など。いくつか触ってみて、使いやすそうなものを選ばれると良いかと思います。

新事業ではなく本業で展示会に出展するのに、ウェブサイトが展示会の内容と全く一致していないのはちょっと問題です。2000 年代前半に作られたウェブサイトなどはもうかなり時代に合わなくなってきています。展示会とウェブサイトは中小企業の販路開拓の両輪です。思い切ってリニューアルを検討していただきたいです。その際はぜひともウェブサイトにも「問題解決型」を取り入れてくださいね！

「うちにはできない仕事」は考えるチャンス

展示会に出展してみたものの、次回の出展を見合わせる企業がおっしゃることの一つに「展示会に出してはみたものの、うちにはできない仕事の相談が多かった」というものがあります。大体、残念そうな顔でそうおっしゃるのですが、これって残念な結果なのでしょうか。私は「うちにはできない仕事」は考えるチャンスだと捉えています。そのように捉えて上手くいった事例もこれまでいくつもありました。具体的に紹介をしていきます。

①あと何かあればできるのか

一番大事なのは「あと何かあればできるのか」を考えることです。それは設備なのか技術力なのか人材なのか。そしてその足りない部分を補うことによって商品力が上がり、より利益率の良い仕事ができるようになることが予想できたり、新しい事業の柱をもう１つ作れそうだったりする場合は、補助金や助成金をうまく活用しながら「足りない部分」を補う方法を考え、行動に移してください。これこそが「展示会をマーケティングの場として活用する」ということです。

②振れる先はあるか

その仕事ができるようになることに、メリットを見出せないケースも当然あります。その場合は「振れる先」をいくつか持っておくと良いです。展示会はそういった協力会社を見つけるためにも有効な場です。また今はSNS等を活用し、普段から横のつながりを育てておくことも可能です。

③まったく見当外れな引き合いばかりなのか

上記の2つとは違う「まったく見当外れな引き合いばかり」というケースもあります。この場合は展示会のコンセプト作り、その先のブース作りに問題があります。まったく見当外れな相談ばかりあるということは、そういう人にしか目にとまらない展示会ブースを作ってしまっているのです。まず「誰に何を伝えるための出展か」を言語化し、ブースに展開する際はそれを「見える化」することから考えなおしましょう。

「うちにはできない仕事」は、考えるチャンスです。商品力アップや事業のもう1つの柱にできないか、考えてみる機会にしてください。

第7章

本当の目的を果たすために

本当にやりたい仕事はどんな仕事ですか？

展示会直後のアフターフォローが終わった後に、本当のアフターフォローがはじまります。アフターフォローとはお客さんと信頼関係を築くことです。展示会がきっかけでできたご縁を育てていくことこそが、本当のアフターフォローなのだと私は思います。

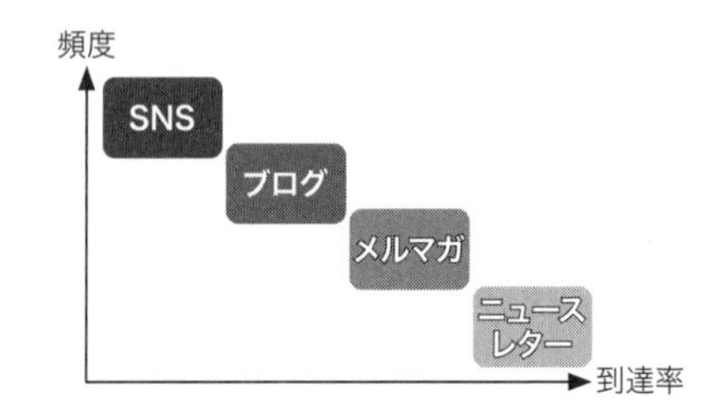

まず大前提として忘れられないように、常にコンタクトを取ることが必須です。具体的にはSNS、ブログ、メルマガ、ニュースレター等の手法を用います。頻度の目安は、SNSは毎日。ブログは週2〜3回程度。メルマガは月1回程度。ニュースレターは年3回程度です。

上の図は上に行くほど頻度が高く、右に行くほど到達率が高いことを示しています。

ポイントは売り込みになりすぎないこと。あくまでも発信するのは「お客様の役に立つ情報」です。すでに関係性がはじまっている、お客さんとのご縁をつなぐための手法なので、メルマガとニュースレターだけでもいいのでは、と思われるかもしれませんが、SNSやブログは最初の取り掛かりとして始めやすく、また普段からSNSやブログで発信しているとメルマガやニュースレターを発行することは、そうハードルが高いことではなくなります。

展示会直後にいただける案件というのは、すでに決まっているものが多いです。すでに決まっている案件を、安く早くやってくれる会社を探しに来るお客さんが展示会には多いからです。常に忘れられないようにコンタクトを取り続け、あなたの会社の良さや技術の確かさを伝え、信頼関係を築くことができれば、前述のＡやＢの見込み客から必要なときにお客様のほうから声をかけていただけるようになります。

またこういった依頼の場合、プロジェクトが立ち上がったタイミングで声をかけていただける可能性が高く、納期や値段で戦わなくて済む可能性が高いです。

あなたは、本当は納期や価格の世界ではなく、開発段階から相談していただけるような仕事をしていきたいと思っていませんか？本当にほしい仕事がそういうものであれば、手間はかかりますが、丁寧に関係性を築き信頼を得る必要があるのです。

そしてこのサイクルは、そのまま次回の出展の際の集客に使えます。すでにご縁がつながっているお客さまに、次回の展示会の案内を送ることで、より関係性が強くなっていきます。出展回数を重ね、ご縁がつながっている方の数が増えるほど、効果を発揮するようになります。このようなことは、日ごろ発信をしていない企業には大変なことに思えるかもしれません。しかしお客さんと関係性を築き、信頼を得るために発信し続けることは、会社を存続させ、良くしていくために根本的に必要なことです。展示会出展で発信することが当たり前の社風作りのきっかけになることを願います。

こちらからの定期的な発信で忘れさせない工夫を

定期的な発信が大事ということはわかったけれど、具体的に何を発信すれば良いのでしょうか？　ぜひやっていただきたいことは「問題解決事例」の発信です。ブログの仕組みを使ってウェブサイトに問題解決の事例をアップしてください。できれば週１本くらいのペース、少なくとも月１本はアップしたいところです。

問題解決の事例は、例えば下記のような構成で書いてください。
・タイトル
・お客さま
・困り事
・解決策
・画像
・技術ポイント
・まとめ
必ずしもこの構成でなくても良いですが、必ず入れてほしいのは、お客様の困り事とそれに対するこちらの提案の２点です。記事が検索にかかりやすくするためには、ある程度のボリュームが必要です。困り事と解決策をなるべく具体的に書くことで800字以上を目安に膨らませていただきたいです。
お客さまや画像は、もちろん詳しくは載せられないこともあるでしょう。その場合は「機械工具メーカーＭ社さま」とか、画像はイラストにするなど、載せられるかたちを考えてください。これを通常発信しているSNSで「問題解決事例をアップしました」という投稿をする。月に１回か２ヵ月に１回、反応の良いものをメルマガで発信。年に２回ほどニュースレターで発信する。
このように、発信のサイクルを作ることができれば最高です。展示会で出会った見込み客との信頼が深まる効果はもちろん、事例をアップするたびにウェブ検索でたどり着く人の入り口が増えるのです。展示会とウェブは中小企業の販路開拓の両輪です。私自身も長年ウェブ活用をしてきて、一番効果があると感じているのが、良質な記事をたくさん発信することです。コツコツと積み重ねが大切な作業ではありますが、必ず効果は出ます。

問題解決事例記事フォーマットは、ダウンロードできます。
（https://www.tenkatsu.net/dl/）

中小企業の「リード営業」における意外？ な壁

展示会に関わっていると「リード」という言葉、よく聞きますよね。営業シーンで使う際の意味は「見込み客」です。なので「リード営業」とは、見込み客に顧客になっていただくためにする営業のことです。展活セミナーでは展示会の定義を「見込み客との出会いの場」としています。展示会で質の高い見込み客から名刺をいただき、リスト化し、アフターフォローで顧客化する。このサイクルが上手く回れば、営業社員がいない中小企業でもコンスタントに新規顧客が増え、事業を継続・拡大していくことができます。

理想的な流れとしては見込み客リストに対し、1ヵ月に1回くらいは「読んでいただけるメールマガジン」を送りたい。1ヵ月に1回こちらから発信を届けるようにしておくと忘れられることはなく、何か案件が出てきた時に「あの会社に相談してみよう」を思っていただけます。

問題は「読んでいただけるメールマガジン」とは何か、ということです。皆さんも読まずに捨てるメルマガと、必ず読んでしまうメルマガがありますよね？　その違いは何か、というと自分が興味を持っていることが書いてあるかどうかです。展示会というビジネスの場で出会った関係なのだから、この場合の見込み客が捨てずに読むメルマガとは、「自分が抱えている問題を解決してくれそうかどうか」です。なので1ヵ月に1回「問題解決事例」が掲載されたメルマガを送り続けることができれば理想なのです。

ここで壁が出現します。「そんなにネタがない」「文章が苦手」「書く時間がない」などなど。その壁を越えて見込み客が求める問題解決を書き続けることができれば、強力な資産になるのですが……。そう、中小企業にとってのリード営業の壁とは営業社員がいないことではなく「書き続ける力」のある人がいないことなのではないか。私が日々多くの中小企業と関わる中で、本当にネタがない企業ってないのです。ビジネスの本質は問題解決です。何年も何十年も事業を続けてきた中で、数えきれないほどのお客さんの課題を解決してこられたはずです。なので、そのあたりを聞き出し整理のお手伝いをし、文章化するノウハウをお伝えすれば、営業社員がいない中小企業でも、リード営業のサイクルを回していくことができるはずなのです。

理想はブログの仕組みを使って、常時ウェブサイトに事例を追加していく（週イチくらいでアップできたら最高）。追加するたびにSNSで拡散する。反応の良い記事を月に１回メルマガ化して配信。これを繰り返すことができれば、ウェブサイトも分厚くなり、検索からの問い合わせが受注にもつながります。どちらにせよ必要なのは「書き続ける力」。ここをきちんとノウハウ化し企業さんに無理のないかたちで「書き続けられる人」を育てるお手伝いができるようになりたいと、私自身、最近強く思っています。

次の展示会を更によくするために

終了した展示会の成果を検証し、次につながる対策を考えるために佐藤義典先生が考案された「マインドフロー」というツールを使わせていただいています。

（出典『図解 実戦マーケティング戦略』著者：佐藤義典　出版社：日本能率協会マネジメントセンター）

このワークをすることで出展の振り返りと検証、更に次回の展示会に向けて行動計画を考えることができます。佐藤先生いわく、見込み客が優良顧客になるためには「認知」「興味」「行動」「比較」「購買」「利用」「愛情」以上７つの関門を突破していただく必要があります。展示会に来る見込み客の総数に対して各関門を突破した人の人数を明確にし、どの関門が弱いのかを知り、打ち手を考えます。

具体的に１つずつ説明します。

1. 認知：展示会で言うところの認知は、事前に出展案内をした数です。招待状、メールなどを何件送ったかを計算します。
2. 興味：展示会期間中にチラシを受け取ってもらった数
3. 行動：名刺交換の数
4. 比較：見積提出の数
5. 購買：最初の受注の数
6. 利用：２回以上受注した数、別件の受注の数
7. 愛情：継続受注の数

これら７つの関門を突破した人の数を書き出し、そもそもの展示会に来る見込み客の総数に対して、どれだけ減っていったか割合を計算します。例えば名刺交換が 100 で見積提出が 10 だとすると 10÷100 ＝ 0.1 で比較関門の突破率は 10％となります。７つの関門の突破率を出し数字を比較することで自社のボトルネック＝弱い箇所がわかるのです。

それがわかったら、まずはその弱い箇所から打ち手を考え実行すると、全体の成果を効率よく上げることが可能になります。７つの関門を設定し、何人が関門を突破したのかを計算します。各企業によって結果は違いますが、仮に下の表のような結果になったとします。

展示会に来る見込み客 3,000 から優良顧客１人を獲得する過程で４の「比較」の突破率が 10％で最も低いです。ということは、まずどうすれば名刺交換した人から見積依頼をもらえるかを軸に打ち手を考えます。

展示会に来る見込み客数の総数＝3,000			
	定義	実数（人）	突破率（％）
認知	事前に出展案内	500	16
興味	チラシ受取	300	60
行動	名刺交換	100	33
比較	見積提出	10	10
購買	最初の受注	5	50
利用	2回以上受注、別件の受注	2	40
愛情	継続受注	1	50

・名刺交換した人にお礼メールを送ったか
・お礼メールは一斉送信ではなくブースでの会話の振り返りを入れたか
・お礼ハガキを送ったか
・お礼ハガキにブース画像を入れたか
・お礼状が届いたころを見計らって電話をかけたか

おそらく比較関門の突破率が低い企業は、今あげたようなアフターフォローが徹底できていない可能性が高いので、まずはここを確認します。

次に低いのは1の「認知」なので、どうすれば事前案内の数を増やせるかを軸に打ち手を考えます。中小企業の認知が低いのは初出展のときは皆同じです。なので、次の出展までにどうリストを増やすかを考えてください。

・名刺交換した人はリスト化したか
・以前の商談会等で名刺交換した人はリストに入っているか
・休眠客はリスト化されているか
・ウェブサイトからの問い合わせはリスト化されているか
・ウェブサイトから資料をダウンロードする際にメールアドレスをもらえるような仕組みになっているか

このあたりを確認してみましょう。次の展示会までにリストを増やすための打ち手は色々と考えらえるはずです。どちらにせよ、すべての関門において打ち手は必要なのですが、突破率が低いところから優先的に打ち手を打つことで効率的に全体の数字を上げていくことが可能になります。

展示会が終わるたびにこのやり方で検証することで、次の展示会は更に良くなり、その次の展示会は更にもっと良くなるという正の好循環を回していくことが可能になります。展示会と展示会の間では、ぜひ振り返り検証する時間を持ってみてください。

SNSで関係性を構築する

ここ数年、展示会をきっかけにSNSでつながり、そこから受注につながるという事例をポツポツと聞くようになりました。SNSはX（旧Twitter)、Instagram、Facebookといろいろありますが、それぞれに特徴があります。

・X（旧Twitter）：拡散向き。出展の告知などで効果を発揮
・Instagram：企業やブランドが持つ世界観を発信するのに向いており、フォローバックも貰いやすい
・Facebook：既に知り合っている人との関係性強化。コメントが付きやすい

全部やれれば一番良いのですが、それもなかなか大変なので、どれか１つをやるとしたらInstagramをおすすめします。

問題解決型展示会を振り返り次回へつなぐ

展示会はやってみてわかることがたくさんあります。たくさんあるわからないことをあらかじめわかっておくために、この本を読ん

でくださっているのだと思いますが、本を読んだ時点では仮説しか立てられません。やってみて結果が出るから検証ができるのです。

問題解決型展示会の結果は、ざっくり３つのパターンに分けられると思います。

パターンＡ　解決できない問題が多い場合

〇〇の困りごとを解決します！と打ち出したが、解決できない困りごとが多かった

→対策１：できることを増やす
→対策２：ニーズが合うところをひたすら探す

まずパターンＡ「〇〇の問題解決」と打ち出したものの、解決できない問題が多い場合です。これは初出展で、これまで１社に依存経営をして来られた企業によく起こる状況です。解決策としてまず考えることは、「できることを増やす」です。これまで親会社が言うとおりに作っていたのだから、できることが少ないのは当然です。

なので、展示会で協力会社を探して、自社ではできないことを依頼できるような環境を作るとか、新しい機械を入れてできることを少しずつ増やすことで、商品力を上げていく必要があります。経験や対応力も商品力なんですよね。厳しいようですが、パターンＡの結果となってしまった企業は、現時点では商品力が低いです。現状を受け入れ、できることを増やして商品力を上げることで会社は成長します。

もう１つ考えられる対応策としては、ニーズが合うところを広く探すというやり方です。東京や世界に出て行くなどして商圏を広げると、絶対数が増えるのでニーズが合うところと出会える可能性が上がることでしょう。できることを増やすことも商圏を広げることもどちらも必要です。１社依存を脱してきた人はみんな通る道です。

パターンＢ　その問題解決を求めている人が少なかった場合

○○の問題解決を求めている人が少なかった場合
→対策１　出展する展示会を変える
→対策２　○○以外の提案を増やす

パターンＢはその問題解決を求めている人が少なかった場合です。対策としてまず考えるのは出展する展示会を変えることです。今回出展した展示会ではその技術がニッチすぎたのかもしれません。もっと専門性の高い展示会に出展すれば求めているお客さんと出会える可能性はあります。

もう１つの対策としてはニッチな技術であればあるほど、今一度表現方法を見直していただきたい、ということです。お客さんは、本当は何で困っているのか、その表現で伝わるのか、検証が必要かもしれません。

パターンＣ　ほぼ解決できる場合

○○の困りごとはほぼ解決できる
→対策１　中でもより良いお客さんに伝わる見せ方に変える
→対策２　○○以外の提案を増やす

パターンＣはほぼ解決できる場合です。これは展示会が成功している状態です。この状態から更に上を目指すには、どんな対応策があるのでしょうか。解決できる問題の中でもすごく良いお客さんもいれば、そんなに求めていないお客さんも来られますよね。過去の結果を検証し、より求めているお客さんの心に深く刺さるような表現に変えます。そうすることでより良い仕事ができ、目指す方向に会社をすすめていくことができます。
そしてもう一歩先へ進めるためには今できる問題解決以外にも、

理想とするお客さんが求めておられることはないか、どうすれば提供できるようなるか、という視点で考えるのもありかと思います。お客さんとの関係がより深まります。

展示会ステップアップストーリー

①ダイワ化工(株)

愛知県丹羽郡扶桑町のダイワ化工㈱は、ゴムの金型成形をされている会社。2017年に展示会に初出展をされたのですが、そのときの1社依存率は99%でした。セミナーに来ていただき、コンセプト明確化ワークでお客さんの困りごとを一緒に考えたのですが、そのときは1社としか仕事をしたことがないため、お客さんが何に困っているのかわからない、という状態でした。なので、1年目は受注を取るというよりも、お客さんの声を集めること「ゴム加工に関する困りごと集め」を目的とした出展にしようということになりました。

その際に配布したチラシとブースはこちらです。

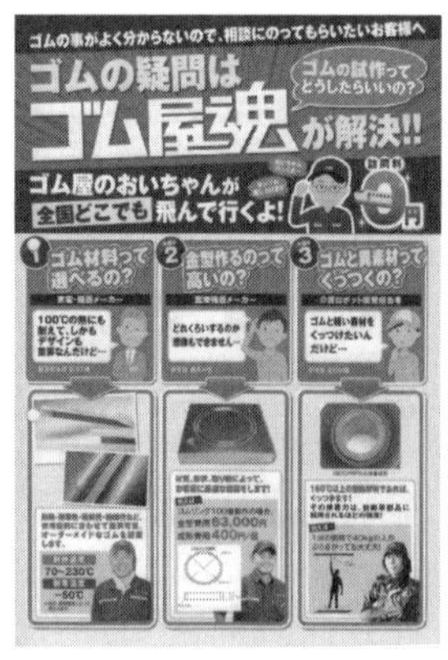

初出展時のダイワ化工のチラシとブース

問題解決型にはなっているのですが、困りごとはまだかなりフワっとしています。このチラシとブースで出展をしたところ、「ゴムの金型代が高い！」「１個から試作してほしい」という声が多いことがわかりました。その声を基に展示会終了後、設備を入れ簡易アルミ金型という方法で、安価で少量の試作ができる環境を整えられました。これは展示会成功に必要な２つの力の１つ目「商品力」を上げた、ということです。

こちらが現在のチラシとブース。

現在のダイワ化工のチラシとブース

環境を整えたことで、困りごとを絞り「１個から」を強調したものに変更をされました。２年目以降は出展社プレゼンテーションにもチャレンジ。商品力と伝達力の両方を上げたダイワ化工の展示会は、出展直後から具体的な相談が複数寄せられるブースに生まれ変わりました。現在も展示会とウェブの両輪で販路開拓を続け、１社依存率は減少を続けています。

②(株)グランツ

愛知県稲沢市の㈱グランツは、プラスチック原料の加工をされている会社です。『メッセナゴヤ 2018』で展示会初出展。その際はこのようなチラシとブースでした。

初出展時のグランツのチラシとブース

「樹脂課題解決戦隊!プラレンジャー」を結成し、社長をはじめ社員たちをキャラクター化。ウェブサイトもこのコンセプトに合わ

出展するものを変更しブラッシュアップされたグランツのチラシとブース

せてリニューアルをされました。こちらの評判もとても良かったのですが、より自社が求めているお客さんに来ていただけるようコンセプトをセグメントし、樹脂材料の中でも「エラストマーに関する困りごと」にしぼりチラシとブースをリニューアルしました。

写真は『メッセナゴヤ 2021』ですが､同じ年に同じブースで『名古屋プラスチック工業展 2021』にも出展。専門展示会に問題解決型ブースで出展することによって、より求めているお客さんに出会えることを実感されました。更に 2023 年には自社開発されたミニペレットを展示会に出展するためコンセプトをブラッシュアップ。

IPF 国際プラスチックフェア 2023 に出展された際のグランツのチラシとブース

新しいコンセプトで出展されたのはプラスチック業界最大級、3年に一度、幕張メッセで開催される『IPF 国際プラスチックフェア 2023』。前年に新ものづくり・新サービス展ではじめて首都圏での出展を経験され、やはり大手の担当者と直接来場されるのは首都圏の展示会との実感を得られ、思い切って IPF への出展を決められました。ここ数年のウェブと展示会両輪のマーケティングの成果を実感。現時点で出展からあまり時間は経っていませんが、すでに受注した案件と進行中の案件が複数動いているそうです。

③(株)蒲郡製作所

愛知県蒲郡市の㈱蒲郡製作所は、アルミ精密加工を得意とされる町工場です。2006年頃から展示会出展を開始、最初の5年ほどは地元の信用金庫が主催する展示会など、ローカル展だけに出展をされていましたが、2013年から東京の専門展にも出展されるようになり、元々、高い技術力を持っているため、成果を出しておられました。

展活では初期から応援していただいており、展示会セミナーも蒲郡市に招致してくださったり、色々と支援をいただきました。2021年には、これまでの展示会をリニューアルすべく、あいち展活セミナーに参加。

かつての蒲郡製作所のブース（左）と現在のブース（右）

beforeのブースは2011年のもので､直前のものとは違いますが､あらためてコンセプトを明確にし、問題解決型展示会に生まれ変わりました。蒲郡製作所が得意とされる問題解決が一目でわかるブースに生まれ変わったため、これまでよりも確実に求めるお客さんが立ち止まる率が高まりました。2023年はこのブースで8つの展示会に出展をされ、積極的に販路開拓をされています。

④(株)タクセル

大阪市平野区の㈱タクセルは、平野区で長く封筒製造を営んでこられた緑屋紙工㈱を母体に持つウェブサイト「封筒屋どっとこむ」の運営会社です。封筒というビッグキーワードで常に上位表示され、15 年のウェブサイト運営で毎年確実に規模を拡大して来られました。

そしてついにウェブだけでなく展示会も活用し、ウェブと展示会の相乗効果でますます販路拡大を目指し、2023 年は『大阪勧業展』と『メッセナゴヤ』に出展。その際に作られたチラシとブースはこちらです。

タクセルのチラシとブース（メッセナゴヤ 2023）

出展コンセプトを明確にすることで、封筒やパッケージの困りごとが一目でわかるチラシとブースが完成。ウェブでは出会えなかったような顧客層との出会いに繋がりました。

⑤(株)石川製作所

愛知県愛知郡東郷町の㈱石川製作所は長年、自動車業界で使用されるばねを製造されてこられ、金属線材曲げ加工の量産を得意とされる会社です。数年前から展活をはじめられ、成果も出してこられましたが、更にブースの訴求力を上げ、販路開拓につなげるため2023年に展活セミナーに参加をされました。

after

かつての石川製作所のブース（上）と現在のブース（下）

単にできることを並べたブースから、金属線材曲げ加工に関する困りごと解決を前面に出した問題解決型ブースにリニューアルすることで、より確度の高い見込み客との出会いにつなげることに成功。

2024年にはウェブサイトも問題解決型にリニューアルをされ、ブランドイメージも統一。ウェブと展示会の両輪で更なる販路開拓を目指しておられます。

線曲工房

https://www.senmagekobo.com/

中小企業にとって理想の展示会とは

2021年９月に展活企業にご協力をいただき、「理想の展示会とは」というテーマでアンケートを実施しました。あらためてこのアンケートを読み直すことで何か見えてくるのではないか。そこから考えたことを書いていこうと思います。

展示会で重要視すること／理想の展示会とは？

ほとんどの企業が、展示会で重要視することは「どのような来場者が来るか」と答えられました。逆にこれまで良くなかった展示会であがった理由は「自社が求めるようなお客さんが来なかった」でした。

理想の展示会を自由に妄想していただく問いには「来場者は多くなくてよい」「規模は大きくなくてよい」「濃いお客さんに来てほしい」という答えが多かったのです。

来場者の多い・少ないは毎回話題になりますし、海外の巨大な展示会会場で何十万人も集まるような展示会を目指す企業もあるので、規模と来場者数を展示会選びの基準にされているところも多いのかなと思っていたので、この結果は意外でした。

具体的に、会場をグルっと回っても疲れない程度の規模と書いていらっしゃる方もいて、あらためて冷静に考えてみると、みんな規模と来場者数を求めていたわけではないのだ、ということがわかりました。

特にこの時期（2021年）は、最盛期と比べて良くて７割、悪いときは３割くらいの集客で運営されていました。しかしそれでも来るお客さんは、本当に困っている濃いお客さんです。以前と比べて少ないけど本気の出展者と、少ないけど濃い来場者で行われる展示会は、これまでよりもマッチングの精度が上がると思うのです。そのためには「自社は誰のどんな困りごとに対して、何を提供できるのか」がパッと見て、きちんと伝わるブースを作る必要があります。展活のやり方で訴求力の高い展示会を作ることで、ますます展示会の効果が高まる状況になってきていると、あらためて感じています。

展示会のスケジュール感

はじめて展示会に出展する際は、いつまでに何を準備すればいいのか、まったく見当もつかないですよね。「**スケジュール作成フォーマット**」は６ヵ月前からはじまるかたちになっていますが、私が思うに展示会の準備がはじまるのは１年前です。以下、１年をとおして準備することをあげていきますね。

いつまでに何をすればいい？　スケジュール作成フォーマットは、ダウンロードできます。
（https://www.tenkatsu.net/dl/）

・１年前

今後の出展予定候補の展示会を見学。見学のポイントは出展する側の目線で見ること。見てもない展示会に出展するのはリスキーです。特に中小企業の場合は極力、社長ご自身が見学され確かめられることをおすすめします。

・半年前

申し込み完了。大体この頃には具体的に出展内容を決め、申し込みを完了します。積極的に展示会見学の機会を作りアイディアを集め、どんな出展にしていきたいのかイメージを固めていきます。招待状を送るリスト作成に着手するのも、この時期から取り組んでおけば安心です。

・3〜2ヵ月前

出展コンセプトを明確に。ガイド本や主催者ホームページに掲載する案内文の提出期限もこの頃です。コンセプトシートを基に書いていきます。それからブースで使うポスターパネルやタペストリー等の制作、配布資料等の制作。自社のホームページやブログ、SNSにいつどこでどんな出展をするのか、準備過程などもどんどん発信していく時期です。

・1ヵ月前〜当月

招待状の送付。必要なものの最終チェックなど。食堂や会議室、工場の隅など、どこでもいいので模擬ブースを作り、商品説明の練習はぜひやっておいてください。

・出展後

お礼状・お礼電話〜訪問。名刺は必ずリスト化し、次回の出展の際に案内状の送る先がわかるようにしておきます。

やっていく中で、やることの項目はどんどん増えていくとは思いますが、ダウンロードができる「いつまでに何をすればいい？　スケジュール作成フォーマット」を活用し、項目が増えるたびに都度チェックリストに項目を書き加え、それをカレンダーに追記することで、時間の見える化ができるようになっています。

漠然とした時間管理への不安は、書き出すことで具体的な行動計画に変わっていくはずなので、活用していただけましたらうれしいです。そして今が出展直前の方もおられると思います。そんな方は、まず出展目的を明確にすることからはじめてください。

そしてこの本から取り入れていただけるところだけでも取り入れていただき、次回の出展の際は、半年前からスタートできるような体制を整えられたらいいですね。

あとがき

1年目の失敗から学んだこと

私は展示会において「ねばならない」はないと思っています。

例えば、チラシは重要ですが、チラシがなければならないとは思いません。チラシがなくても上手くいく企業もあります。そもそも展示会そのものが別にやらなくてもいいものなのです。売上を作るための手段の1つとして展示会があるのであって、既存顧客との仕事だけで充分儲かっているのであれば、展示会をやる必要はありません。

たくさんの手段の中から展示会を選び、どうせなら勉強してから出展しようと、いろいろと調べて私にたどりついてくださった方には、展示会で成果を上げるよう全力でサポートをさせていただきます。

その過程で、忘れてはいけないと肝に銘じていることがあります。それは成果の定義は各企業によって違うということです。売上を上げることが目的だと思いがちですが、売上を上げるためなら、なんでもするという会社もあれば、社内の和が乱れるくらいなら売上は二の次でも良いという会社もあります。それはそれぞれの価値観なので、私がとやかく言うことではないのです。

私はそれぞれの企業さんの本当の目的にトコトンよりそうと決めています。そう思うようになったきっかけは1年目の失敗にあります。講師1年目の私は極度の緊張の中、経験不足から来るコンプレックスの裏返しで、ナメられてはいけないという気持ちが異常に強く、正しいことだけを言おうとしていました。そんな私が言い放ったある言葉が、ある社長のプライドをひどく傷つけてしまったのです。その方は完全に心のシャッターを閉じてしまわれ、その後も開くことはありませんでした。このときはとても辛かったのですが、この経験から私は「正しいから聞いてもらえるわけではない」ということを学びました。

そもそも絶対的に正しいことなどないのです。立場が変われば正しさの定義も変わります。それ以来、サポートの現場では1社1社の本当の目的把握につとめ、その企業が今どの段階にいらっしゃるかを理解したうえで、今やるべきことを1つずつ明確にしていくような今の私のやり方に変わっていきました。

限られた時間と予算の中で、やりたくてもできないこともいっぱいあって、その中での最善をさぐりながら進んでいく日々を、きっとこれからも過ごすのでしょうね。なんか上手くまとまっていませんが、私はこんなことを考えながら展示会活用アドバイザーという仕事をしています。

展活と歩んだ12年

「展活」という言葉は当初、展示会情報サイトの屋号として誕生しました。2012年5月1日のことです。私の仕事人生の原体験はそこから遡ること11年。2001年に売上の95%以上を占める得意先の倒産を経験したことからはじまります。

大学を卒業してそのまま父親が経営する家業「マルワ什器」に入社し4年目、26歳のときでした。連鎖倒産が目の前にあって、このまま廃業することも考えましたが、若かったこともあり一念発起で家業再建を目指すことになります。

そこから思いつく限りのありとあらゆる方法で販路開拓を行い、なんとか再建を成し遂げることができました。その過程でたくさんの展示会現場に関わりました。展示会をきっかけにどんどん成長していかれる企業。反対にうまく活用できないままやめてしまわれる企業を見てきました。家業再建に向けて公の中小企業支援セミナーなどを受ける中で何人かの中小企業経営者、特に後継者の仲間ができました。その人たちの存在は20代で倒産寸前の家業を背負ってもがく私の心の支えでした。

皆さん、色々と模索しながら販路開拓を行っていました。営業やDM活用、ウェブサイトで売る方法など等々。その中の1つ「展示会」も中小企業の大事な販路開拓の場であるはずなのに教えてくれる人がいない、そういう状況に気づきました。最初は身近な仲間たちの力になりたい、それだけだったのですね。

当時、e製造業の会という製造業のウェブ活用勉強会を運営されていた村上肇さんの連続講座に参加。展示会情報サイト「展活」を開設し、中小企業のためのお役立ち情報を発信することで、これまで助けてもらった中小企業経営者、特に後継者仲間の助けになりたい！そういう思いから展活はスタートしたのでした。

一番はじめの活動は、2012年の関西機械要素技術展での展示会見学ツアー。e製造業の会の企画というかたちで、見学ツアーとその後の勉強会を仕切らせていただきました。この評判が良く、最初に商工会議所の目に止まり2013年、いきなり連続講座の講師を任されることになります。

展示会セミナーの需要は想像以上にあり、中小企業のための展示会ノウハウというものはこれまで体系化されてきませんでしたが、実はたくさんの中小企業の方々から求められていたのだ、ということがわかりました。最初はもちろん上手くいきませんでしたが改良を重ね、ノウハウを整理しトライ＆エラーを繰り返す中で、展示会セミナーの質が向上。結果を出してくださる企業の数が増えていきました。2016年ごろから全国の中小企業支援機関からお呼びがかかるようになっていきます。

おかげさまで、12年間で私の展示会セミナーを受講してくださった方の数はのべ 8,500 人超。サポートした企業の数は 300 社を超えています。自社の事業をなんとかしたいとがんばっておられる中小企業経営者の方、特に後継者の力になるためにこれからも全国を飛び回ってまいります。

この本が、日本全国でがんばる中小企業経営者の手に届くことを願って。

2024年4月　大島節子

【参考文献】

- 『図解 実戦マーケティング戦略』
  佐藤 義典（日本能率協会マネジメントセンター）
- 『中小製造業のための儲かるWebブランディングの教科書』
  村上 肇（日本実業出版社）
- 『届く！刺さる!! 売れる!!! キャッチコピーの極意』
  弓削 徹（明日香出版社）
- 『<決定版>セミナー講師の教科書』
  立石剛（かんき出版）
- 『スライドを極めればプレゼンは100%成功する！』
  河合浩之（技術評論社）
- 『儲からんのはアンタのせいや―企業再建「五つの鉄則」』
  桂 幹人（講談社）
- 『置かれた場所で咲きなさい』
  渡辺 和子（幻冬舎文庫）

●Special Thanks

この本ができるまで、展活はたくさんの人に支えられて歩んでまいりました。
心から感謝いたします。

・(有)犬山印刷　宮島良太さん
　この本で紹介したチラシ・ブースデザインの多くを手掛けていただきました。
　私が最も信頼しているクリエイターです。
・(公財)あいち産業振興機構　山口啓さん、日沖純一さん
・(一社)日本パーソナルブランド協会　立石剛さん
・(株)ノヴェルス　河合浩之さん
・MOBIOものづくりビジネスセンター大阪　奥田三枝子さん
・エクセルライティング　戸田美紀さん
・メッセナゴヤ実行委員会の皆さん
・ダイワ化工(株)　大藪めぐみさん、大藪健治さん
・(有)三和金型製作所　小嶋一彰さん、山本知香さん
・三元ラセン管工業(株)　高嶋博さん
・(株)蒲郡製作所　伊藤智啓さん
・(株)エドランド工業　久保有希さん
・大阪製缶(株)　清水雄一郎さん
・くだらないものグランプリのみんな
・(株)タタミゼ　淡路光彦さん
・緑屋紙工(株)　薮野浩明さん
・ケイ・エイチ工業(株)　平野祥之さん
・(株)創　村上肇さん

そして展活に関わってくださった全ての皆さん、ありがとう!

【著者プロフィール】
大島 節子（おおしま せつこ）
展示会活用アドバイザー

1975年大阪市生まれ。1998年家業である什器レンタル業のマルワ什器に入社。2001年26歳のときに売上の95%以上を占める得意先の倒産を経験。必死で家業を再建する中で“展示会ニーズ”に注目。1000件以上の展示会に関わった経験を元に2012年中小企業のための展示会情報サイト「展活」を開設。2013年からは中小企業向け展示会セミナー講師としての活動を開始。10年間で8,500人超の展示会出展を指導。具体的でわかりやすいと好評を得ている。

【講演実績】
●**行政**：東京都中小企業振興公社、大阪産業局、あいち産業振興機構、福島県産業振興センター、長野県中小企業振興センター、佐賀県地域産業支援センター、岡山県産業振興財団、熊本県産業支援課、千葉県産業振興センター、群馬県庁次世代産業課、わかやま産業振興財団、とくしま産業振興機構、香川県よろず支援拠点、北上市産業支援センター、川口産業振興公社、堺市産業振興センター、豊川市、津市経営支援課、蒲郡市役所企画制作課、関西文化学術研究都市推進機構、足立区、葛飾区
●**商工会議所・商工会**：豊川商工会議所、龍野商工会議所、東大阪商工会議所、大府商工会議所、関商工会議所、福井商工会議所、堺商工会議所、和歌山商工会議所、扶桑町商工会、東浦町商工会、京田辺商工会、阿波市商工会ほか
●**展示会運営受託企業**：日本コンベンションサービス㈱、（JCSC）、㈱コンベンションリンゲージ、サクラインターナショナル㈱、㈱読売連合広告社

営業が苦手な中小企業必見！
展示会を活用して新規顧客を獲得する方法
2024年5月30日　第1刷発行

著　者　大島節子
発行人　伊藤邦子
発行所　笑がお書房
〒168-0082 東京都杉並区久我山3-27-7-101
TEL03-5941-3126
https://egao-shobo.amebaownd.com/
発売所　株式会社メディアパル（共同出版者・流通責任者）
〒162-8710 東京都新宿区東五軒町6-24
TEL03-5261-1171

編　集　伊藤英俊
写　真　掲載各社提供
イラスト　Suwa Yoshiko
デザイン　市川事務所
印刷・製本　シナノ書籍印刷株式会社

■お問合せについて
本書の内容について電話でのお問合せには応じられません。予めご了承ください。
ご質問などございましたら、往復はがきか切手を貼付した返信用封筒を同封のうえ、
発行所までお送りくださいますようお願いいたします。

定価はカバーに表示しています。

ISBN978-4-8021-3464-4　C0063